本書出版得到全國古籍整理出版規劃領導小組資助

隨州孔家坡漢墓簡牘

湖北省文物考古研究所
隨州市考古隊
編

文物出版社

目録

上卷　隨州孔家坡漢墓發掘報告

下卷　隨州孔家坡漢墓簡牘

上卷　隨州孔家坡漢墓發掘報告

第一章　緒　言

第一節　地理位置與歷史概況

隨州位於湖北省中北部，跨北緯31°19′至32°26′，東經112°43′至113°46′。東接孝感，西連襄樊，北鄰河南省南陽、信陽，南經鍾祥、京山抵江漢平原。境內地勢由南、北向中部傾斜，南、北分別爲大洪山和桐柏山低山地帶，中部爲丘陵與平原，其中山地和丘陵面積佔絶大部分，中部平原狹長，並與其西的棗陽連接，形成西北—東南走向的隨棗走廊。走廊東南連武漢地區，向南達長江中游及南方，西北接襄樊與南陽，向北通關中及中原地區，一直是古今南北地理交通和文化交流的一條重要通道。平原之上，長江支流溳水貫流其間，溳水及其支流在隨州境內形成一個較獨立的水系。

據文獻和考古材料，隨州在西周時期爲周人封國——隨，這一帶以及鄂北豫南屢屢出土的曾國青銅器可能就屬於隨國，戰國中晚期隨州短暫併於楚；秦始皇兼併天下，設三十六郡，隨地爲隨縣，屬南陽郡，兩漢至三國因之；兩晉爲隨郡，南北朝爲隨州，隋朝廢州設漢東郡；此後的唐、宋、元、明、清各朝多爲州。今天的隨州古城爲隋唐後歷代縣、郡、州行政治所故地。中華人民共和國成立後，先後稱隨縣和隨州，二〇〇〇年，擴大行政區劃並設爲地區級城市，原區域一部改稱曾都區。本報告仍沿用改制前區劃及名稱。

孔家坡墓地位於隨州城關東北，隸屬於隨州市北郊辦事處孔家坡居委會管轄，墓地所在爲孔家坡磚瓦廠取土場。這裏西南距市中心約二·五公里，向南約三·五公里爲溳水，西約一·五公里有㵐水南流注入溳水。漢丹鐵路（武漢—丹江口）和316國道沿墓地西側穿過（圖一，彩版一—1）。墓地鄰近的區域分佈着衆多的古文化遺存，墓地南約一·五公里處的義地崗東周時期墓地規模廣大，出土有「周王孫戈」等曾國高級貴族青銅器；墓地之西隔㵐水爲擂鼓墩戰國時期墓群，著名的曾侯乙墓即發現於該墓群；漢代墓葬在隨州分佈普遍，上述墓地均有漢墓發現，孔家坡墓地之東毗連蔣家崗、朱家坡秦漢古墓群，過去發掘出了一批漢代墓葬。東周秦漢時期，隨州一帶古文化的發展保持了較高的水平。

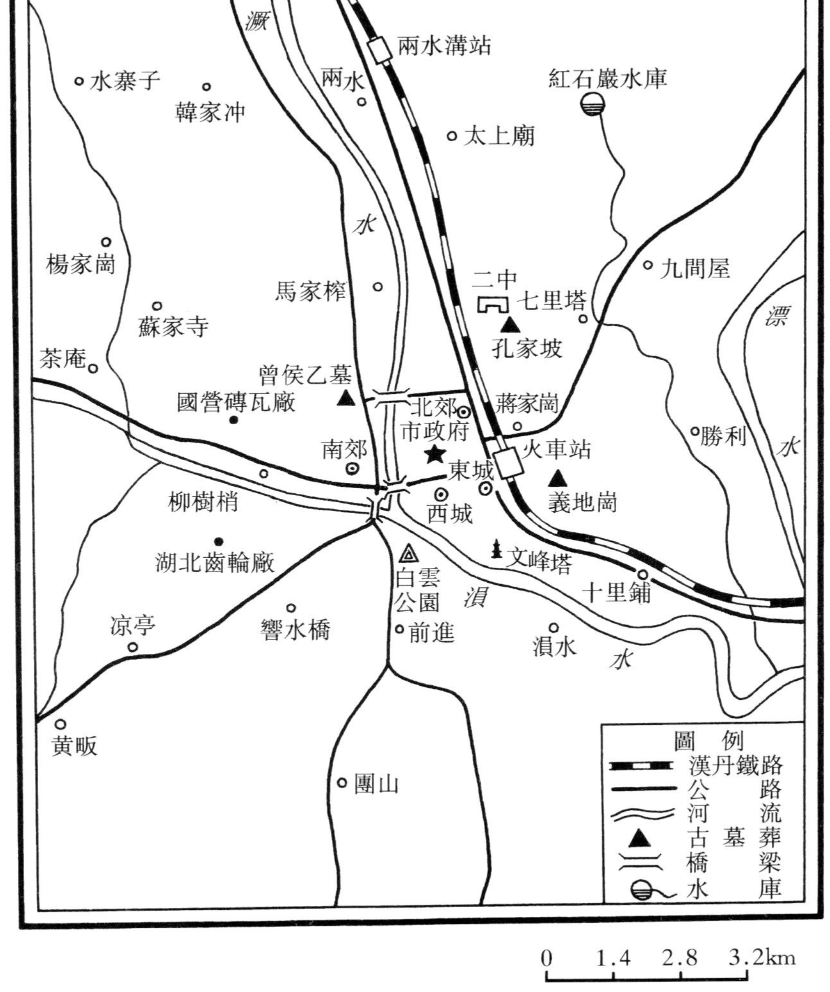

圖一　孔家坡墓地地理位置圖

第二節　工作經過

一九九八年十月，孔家坡磚瓦廠取土時挖掘出古墓葬，墓地因此被發現。一九九八年十一月至十二月，隨州市考古隊在此先後清理被取土破壞的墓葬三座（M1—M3）。一九九九年十二月，孔家坡磚瓦廠取土中再次推掘出古墓葬，部分墓葬破壞嚴重，在文物部門的干預下，磚瓦廠停止了對孔家坡墓地的取土作業，當月，隨州市考古隊清理了四座殘存墓葬（M4—M7）。

由于M4和M5分別出土有鼎、盒、壺和鼎、盒、鈁等陶器，以及殘漆木器等器物較多，又見有墓葬暴露在外，二〇〇〇年三月，隨州市考古隊對磚瓦廠徵地範圍内進行了考古鑽探，同時還發掘了暴露和新發現的墓葬（M8—M16）。二〇〇〇年三月十至十五日，在發掘和清理M8時發現該墓棺槨保存較好，槨室内積滿淤泥，在用海綿泡吸之法清理淤泥後，揭出數量較多的陶器、漆木器以及簡牘兩堆。對簡牘的處理，採用的方法是分別插入鐵托盤，兜底整體取出，運回庫房内泡水保存。

參加以上墓葬發掘的主要人員有：左德田、余四清、陳秋紅、王紅、熊仁貴、王新柱、陳曉坤、黄中華等，一九九九年後進行的發掘由左德田負責現場業務，二〇〇〇年之後的發掘領隊爲張昌平。

田野發掘工作結束後，二〇〇〇年四月初，即轉入室内資料整理。整理分兩部分進行，陶器、漆木器等器物的修復、繪圖、統計、製卡及分型分式工作由左德田、余四清、陳秋紅、桂茂秀、譚嬌娥、張昌平完成。簡牘的清理與整理工作耗時較長，二〇〇〇年四月，后德俊、李天虹、余樂、張華珍、熊燕、包洪波、王紅、張昌平在室内對兩堆簡牘分別進行清理和保護，爲使獲取資料和文物保護都得到最佳效果，對每支簡牘依次按編號（清理號）、繪圖定位、清理、化學保護處理、釋文、照相、包夾固定、試管内飽水保存的程序處理，這一工作歷時半個月。二〇〇〇年十一月，方北松、李天虹、劉國勝、張華珍、熊燕、張昌平再次對簡牘進行實物整理，並對照實物審定竹簡釋文。並由文物出版社劉小放補照簡牘照片，特别是編聯成篇的竹簡。至此，整理工作脱離實物。二〇〇一年六月，后德俊開始對簡牘進行脱水工作，計劃三年内完成脱水。整理期間，李天虹、劉國勝、張昌平組成簡牘整理小組，負責對簡牘的文字作隸定、綴合、編聯和注釋工作。

本報告分墓葬發掘和簡牘兩部分，這主要是基於墓葬發掘數量較少而簡牘材料較豐富的情况。墓葬發掘報告資料的繪圖爲陳秋紅、李天志，整理與編寫由墓葬整理小組左德田、黄建勛、余四清、張昌平共同完成，簡牘報告資料的編寫由李天虹、劉國勝完成，張昌平負責兩部分報告的統籌。在此期間，墓地與簡牘材料曾作過簡要報道[一]，報道内容如有與本報告有出入之處，以本報告爲準。

以上工作自始至終得到了湖北省文物局和隨州市文物局的大力支持，李學勤先生審閱了簡牘報告初稿，編輯蔡敏先生爲本報告做了大量的工作，許多領導和個人對本項工作給予了支持，這裏一併表示感謝。

[一]《孔家坡簡牘概述》，新出簡帛國際學術研討會，北京，二〇〇〇年；《隨州市孔家坡墓地M8發掘簡報》，《文物》二〇〇一年第九期。

第二章　墓葬的分佈與墓葬形制

第一節　墓葬分佈

孔家坡墓地所在是一處西北—東南走向的崗地，崗地地勢北部略高，崗地土質爲褐色黏土，地理和地質條件均適合於埋藏墓葬。一九八五年，當地居委會在此地建起了一座磚瓦廠，自建廠投產至今，常年在此取土，取土深度達到五米左右，對墓葬造成了破壞，至今在取土場内還可見到一些廢棄的墓磚和明墓三合土塊，另外從已取土的範圍和墓葬密集程度推測，這裏過去已被破壞的墓葬不在少數。

孔家坡墓地發掘十六座墓葬（圖二），其中M9爲磚室墓，早期破壞嚴重，本報告祇報導十五座土坑竪穴墓發掘資料。這些墓葬清理時大部分墓坑暴露在外，除M3、M10、M16外，發掘時大多已遭到不同程度的破壞，一些墓葬如M1、M2、M6、M11、M13、M15破壞嚴重，墓葬棺槨和隨葬品保存不全。

十五座墓葬比較集中地分佈在取土範圍中部，東西兩側崗地邊緣未見墓葬。墓葬不很密集，墓葬排列也沒有明顯的規律。有叠壓和打破關係的墓葬一組：M8打破M15和M16。由於墓葬的發掘是根據取土範圍確定的，十五座墓葬並非是孔家坡墓地的全部墓葬，他們也難以反映墓地的佈局情況。

墓葬的頭向因人骨腐朽無存而祇能作推斷，即以頭箱一端（或隨葬品放置的一端）判斷爲頭向所在。十五座墓葬中東西向或南北向者兼有，南北向墓葬略多。其中M16以西區域南北向墓葬稍多，M12以北區域東西向的墓葬較多。未見這一時期較常見的併穴合葬墓。

第二節　墓坑與填土

十五座墓葬皆爲土坑竪穴墓。墓坑的大小，由於發掘前大部分墓葬遭到不同

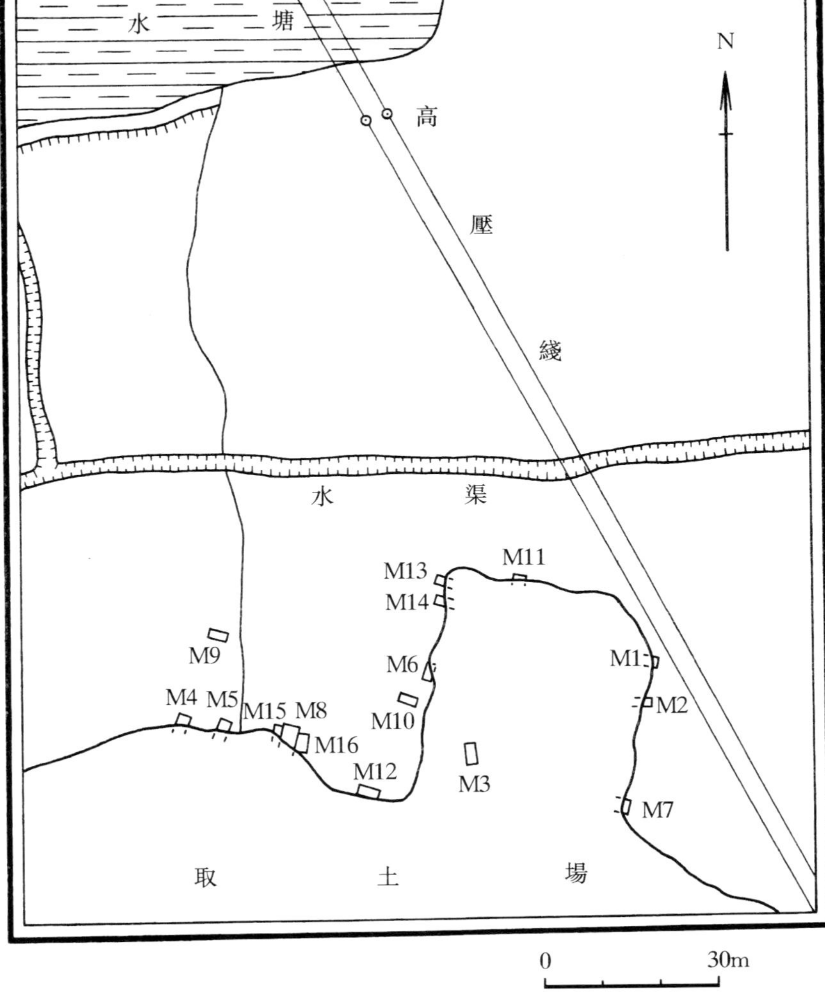

圖二　孔家坡墓地墓葬分佈圖

程度的破壞，因而一些墓葬原有墓坑深度、墓口、墓底的長寬無法得知。墓底的長寬完整或能够大體復原的墓葬有五座（M3、M5、M8、M10、M16），祇能復原長度的墓葬三座（M6、M11、M12），祇能復原寬度的墓葬三座（M4、M7、M14）。如果以坑底長度衡量墓葬大小，在十五座墓中，最大的是M8，墓底長三·七六、寬二·五米，墓底距地表深三·〇八米；長度最小的是M11，墓底長一·九米；寬度最小的是M14，墓底寬一·二米。墓底長度在三米以上的墓葬有四座（M3、M5、M8、M12），推測墓葬規模與此相當的有M4、M6、M7、M10、M11、M14、M16的規模較小。

墓坑均爲口大底小，墓坑坑壁的坡度一般在88°至65°之間，墓坑的四壁坡度基本相同。墓坑坡度較大的約爲88°，例如M5、M8。墓坑坡度較小的爲65°，如M14。墓坑的邊長大多兩組對邊分別相等，平面呈長方形。

所有墓葬皆未見封土、墓道、臺階、壁龕、腰坑等設施。

墓坑内填土顆粒較細，土質黏性較大。大多爲黄褐色五花土，也有灰褐色和灰白色五花土。絶大多數墓葬同一墓坑内的填土是一致的，也有少數棺槨保存略好的墓葬接近棺槨頂部及其四周的填土顔色爲青色，可能是因爲長期被水浸泡感染造成的。墓坑内填土一般經過夯打，因夯打而顯得十分板結。墓坑四壁平整、光滑，四角規整，顯然是經過加工的。

第三節　葬具與隨葬品

墓葬葬具絶大部分保存不好，究其原因，主要有兩種：一是自然腐朽，二是人爲的破壞。保存較好的墓葬衹有兩座，大體能够復原棺槨結構的衹有M8一座，M5棺槨塌陷，平面佈局基本清楚；其他墓葬棺槨全朽，僅存棺槨痕跡，有的墓葬根據棺槨痕跡可以判斷其長寬。

葬具均應爲一槨一棺，M3、M5、M8、M16使用一棺一槨情况清楚，保存較差的墓葬如M4、M7、M15殘存有槨痕，墓葬較小的M10棺外亦見槨板痕跡，推測其他墓葬葬具棺槨俱全。

已知棺槨尺寸的墓葬中，槨室最大的M8長二·九二米、寬一·六六米；最小的M16長二·五米、寬一·三米。各墓葬棺室面積接近，棺長在二至二·一四米之間，寬近〇·七米。棺槨的平面結構可分二類。一類平面呈現「Ⅲ」型，僅M8一座，棺側設置隔梁，將棺室與邊厢隔開，棺置於靠脚頭的一端，形成没有隔板的頭厢；另一類平面呈「Ⅱ」型，不設隔梁，棺沿槨室一側放置後的剩餘部分作爲頭厢和邊厢，可辨别棺槨位置的墓葬均爲這種形式。

墓葬的人骨架均已腐朽，未見骨架甚至牙齒痕跡，葬式不明。

隨葬品放置的位置規律性很强，所出隨葬品均放置於棺槨之間的頭厢、邊厢。漆器如耳杯、漆奩、漆盤以及木器如木篦、木梳、漆劍等放置於頭厢，保存略好的幾座墓葬漆木器多集中於頭厢，保存較差的墓葬在頭厢的位置多不見隨葬品，可能原來隨葬有漆木器。邊厢主要放置陶禮器如鼎、盒、鈁、壺等，也有放置漆耳杯和漆盤的現象，這有可能是因爲墓内積水，器物漂浮産生移位。陶竈皆放置於邊厢靠脚頭的一端。

棺内均未見隨葬品。

第四節　墓葬舉例

孔家坡墓地墓葬因遭破壞的墓葬較多，墓葬特點難以總結。現將保存較好的墓葬舉例介紹如下。

一、M8

墓坑形制　墓口距地表深〇·七五米，墓口東長三·八六、西殘長二·一、寬二·六米；墓底長三·七六、寬二·五米；墓坑底距地表深三·八三米。墓壁的斜坡度約爲88°。墓坑内填黄褐色五花土，填土板結，似乎經過夯打，夯層夯窩難以分辨，近槨蓋板約〇·二米處及槨室四周，填土顔色泛青，似乎並非青膏泥，而是受槨木感染所致。方向18°（圖三，圖版一—1）。

棺槨結構　棺槨保存不好，腐朽嚴重。發掘時，發現由於槨室封閉不嚴，棺槨内填滿了淤泥。槨室全長二·九二、寬一·六六、高一·一八米（不包括墊木）。整個槨室是由槨底板之下的墊木、底板、墻板、擋板、蓋板以及蓋板兩側的圍板組成。槨底板之下縱鋪長方形墊木兩根，均爲整根木材斫削而成，每根墊木長三·一二、寬〇·〇八、厚〇·〇六米。槨底板六塊，平列横鋪在墊木之上。底板每塊長短不一，長一·八至一·九、寬〇·四八至〇·五、厚〇·一二米。六塊底板拼合後總長三·〇二米；東西兩側墻板分别用三塊木板叠砌而成，每塊長二·七三五、寬〇·二三五至〇·三二、厚〇·一二米；高爲〇·八七五米。南北兩端擋板分别用兩塊木板壘砌而成，每塊長一·八二米，寬〇·四二至〇·四五五米，厚〇·一二米；其高度分别爲〇·八八五、〇·八七五米。擋板兩端的内側分别鑿出深〇·〇四、寬〇·一米的淺槽，上層淺槽向上尚留〇·〇五米未鑿至頂端。墻板的兩端分别嵌入淺槽内，構成榫卯結構。槨蓋板爲兩層，上下蓋板大小相等，叠合面的四角分别鑿出長方形半榫，然後再用長方形木栓插入上下半榫之内，使之兩端叠

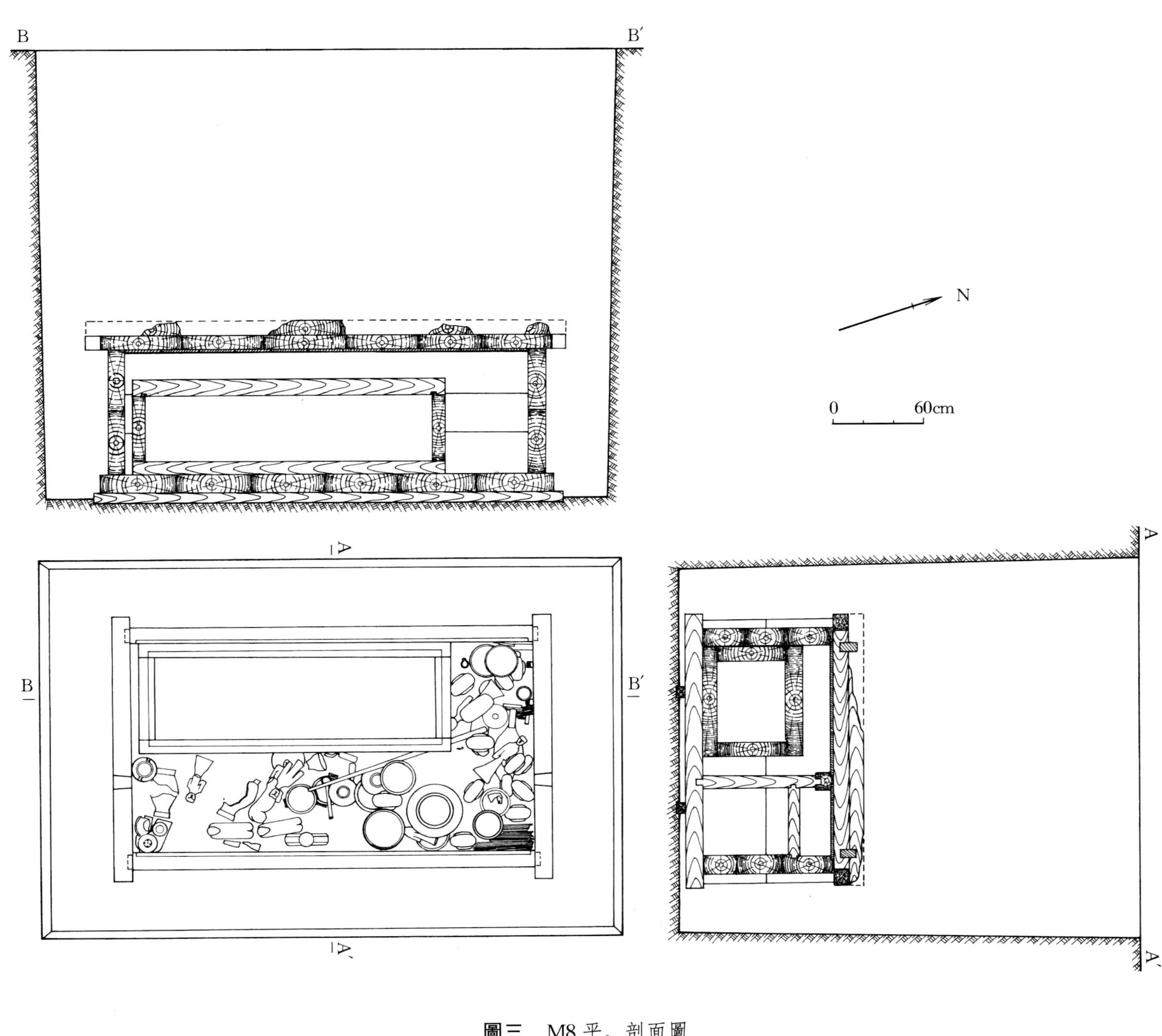

圖三　M8平、剖面圖

合在一起。出土時，上層蓋板大多腐朽，僅見部分殘板疊壓在下層蓋板之上。每層六塊，平列橫鋪在槨室之上，每塊長度相等，長一·六八米，寬○·四二至○·五四米，六塊蓋板合拼後總長度爲三米。槨蓋板東西兩側縱置的圍板各一塊，長三·二米、寬○·二二米、厚○·一米（圖四、表一）。

槨室平面呈「Ш」形，它是由一根縱隔梁將槨室分隔出棺室和邊廂，棺室寬，邊廂窄。縱隔梁設置在棺室與邊廂之間，隔梁的兩端作子榫搭嵌在槨室擋板兩端「凵」形凹槽內，隔梁長三·○五、寬○·二二、厚○·一米，凹槽深○·一米，隔梁兩端的子榫厚度與其相等。揭開槨蓋板之後，棺室和邊廂之上橫置縱鋪一層分板。隔梁正面兩側分別鑿出「∟」形凹槽，槨室墻板内側分別鑿出「∟」凹槽，分板的兩端分別搭嵌在槨室墻板和隔梁凹槽內。分板長分別爲○·八八和○·四二、厚○·○二五，寬○·二至○·二六米。凹槽的深度與分板的厚度相等（由於腐朽和破壞的原因，分板的數量不清）。由於保存不好，槨室隔梁和分板已倒塌腐朽。

因爲隔梁的跨度太大，所以又在隔梁之下增設三根立柱支撐，立柱分別用一整根長方形木製作而成，長○·八六、寬○·○九、厚○·○七米，兩端均有長○·○六、寬○·○四米的長方形子榫分別插入縱隔梁和槨底板相應部位的母榫內。爲了增加穩定性，又在每根立柱和東墻板之間各增加一根短橫梁，橫梁長○·五二、寬○·○八、厚○·○六米。橫梁均用整根長方形木塊製成，兩端亦留出長○·○四、寬○·○二五米的長方形子榫，分別插入立柱和東墻板相應部位的母榫內。

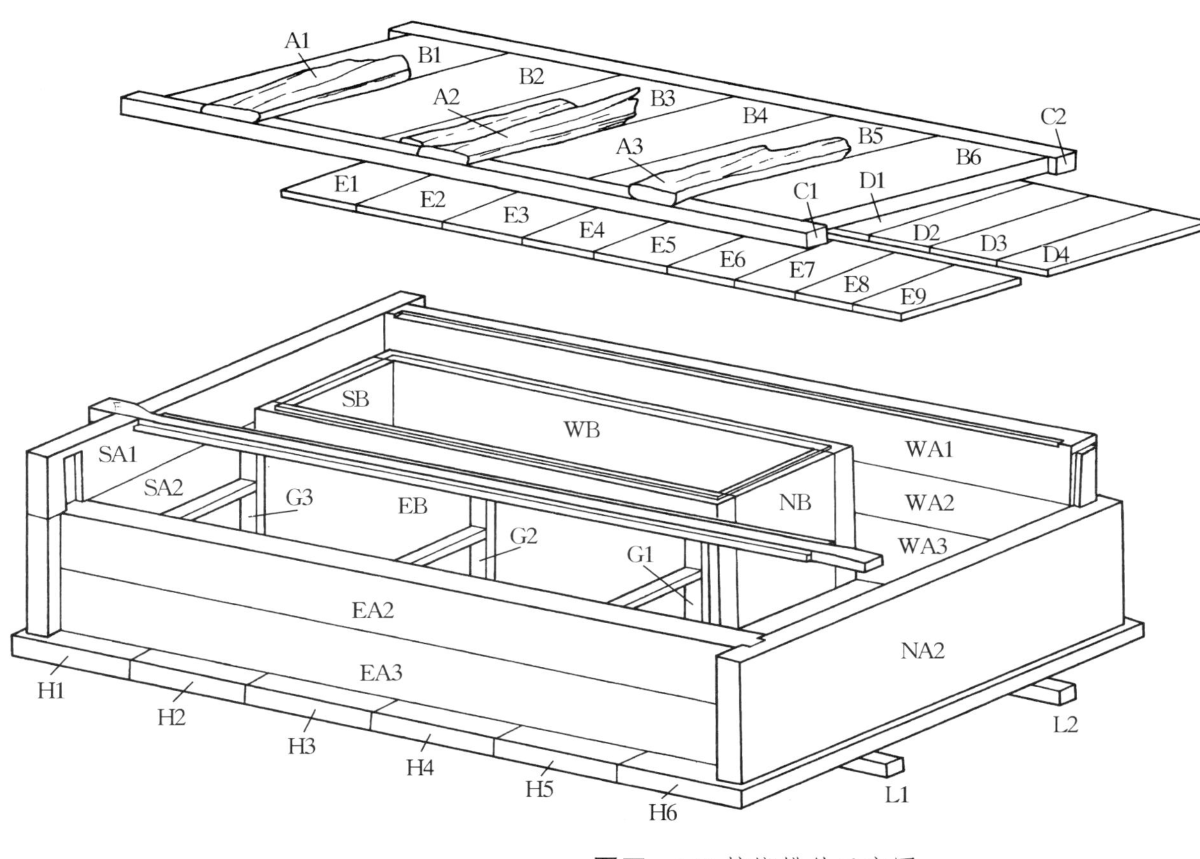

A. 殘存部分上層槨蓋板
B. 下層槨蓋板
C. 闌板
D. 棺上及北室分板
E. 東室分板

EA. 槨東側板
WA. 槨西側板
SA. 槨南側板
NA. 槨北側板
EB. 棺東側板
WB. 棺西側板
SB. 棺南側板
NB. 棺北側板

F. 縱隔梁
G. 立柱
H. 槨底板
L. 墊木

圖四　M8 棺槨構件示意圖

表一　M8 槨木尺寸登記表

（單位：米）

西墻板 長×寬×厚	東墻板 長×寬×厚	底板 長×寬×高	墊木 長×寬×高	名稱 尺寸 序號
2.735×0.29×0.12	2.735×0.29×0.12	1.85×0.5×0.12	3.2×0.08×0.06	1
0.735×0.255×0.12	2.735×0.32×0.12	1.80×0.5×0.12	3.2×0.07×0.06	2
2.735×0.305×0.12	2.735×0.235×0.12	1.80×0.49×0.12		3
		1.90×0.5×0.12		4
		1.80×0.5×0.12		5
		1.80×0.48×0.12		6

側闌板 長×寬×高	蓋板 長×寬×高	南擋板 長×寬×高	北擋板 長×寬×厚	名稱 尺寸 序號
3.2×0.12×0.1	1.68×0.48×0.1	1.82×0.435×0.12	1.82×0.42×0.12	1
3.2×0.12×0.1	1.68×0.42×0.1	1.82×0.45×0.12	1.82×0.455×0.12	2
	1.68×0.48×0.1			3
	1.68×0.54×0.1			4
	1.68×0.54×0.1			5
	1.68×0.54×0.1			6

棺放置於槨室西南側，緊靠槨室西墻板和南擋板，北側和東壁留出空間作爲頭廂和邊廂。棺作長方盒形，内髹紅漆，外髹黑漆。全長二·〇八、寬〇·七六、高〇·六六、深〇·四六二米。底板、墻板、擋板厚度均爲〇·〇九、蓋板厚〇·一米。底板、墻板與擋板的連接採用栓榫結構，連接底板、墻板和擋板的木栓共十八根，每邊墻板各三根，擋板各六根，木栓呈長方形，長〇·一、寬〇·〇六、厚〇·〇四米。木栓的長、寬、厚度與連接墻板和擋板的長、寬、深度相等。棺蓋與棺身的連接則採用凹凸子母榫結構，凹凸子母榫寬相等，爲〇·〇五米，深和高基本相同，爲〇·〇三米。棺室蓋板與墻板結合不牢固，清理時棺墻板倒塌（圖五）。

人骨架腐朽無存，葬式不明。

隨葬品以漆木器和陶器爲主，還有木牘、竹簡和少量的銅器。隨葬品放置在槨室頭廂和邊廂中，鼎、鈁、盒等陶器放置在邊廂，陶竈放置在槨室東南角；漆木器、簡牘放置在頭廂，一些漆木器如漆扁壺、木馬放置在邊廂，可能是器物飄浮造成的位移，木矛斜放在頭廂與邊廂之間，並且被棺底板所叠壓。在頭廂與邊廂的隔板兩側均有隨葬品，可知隨葬品位置與原來的擺放位置有很大的變化。棺内没有發現隨葬品。

隨葬器物共五十九件（組），主要有陶器、銅器、漆器、木器、簡牘五類。

陶器，共九件。其中陶鼎二件、陶盒二件、陶鈁二件、陶甕一件、陶雙耳罐一件、陶竈一件。陶器保存較差。

銅器，共二件。其中銅盂一件、銅帶鉤一件，均保存完好。

漆器，各類髹漆器共二十二件。其中漆耳杯十三件、漆盤四件、漆盒一件、漆扁壺一件、漆奩一件、漆卮一件、漆木劍一件。

木器，共二十件。其中木俑六件、木梳一件、木篦一件、木几一件、木矛一件、木珠一件、木勺二件、木璧形器一件、木馬四件、木傘帽一件、木器蓋二件、木板一件。髹漆器大部分保存較好，殘破者約佔總數的四分之一；木器保存較差，其中木馬、木俑保存更差，完好者約佔五分之一。

竹簡兩組（彩版一—2、3），木牘兩組（四方），葫蘆瓢一件（殘破），殘木器一件。

該墓出土的隨葬器物種類齊全，其中部分漆木器和陶器有彩繪。顯得富麗華貴。（圖六，圖版一—2、3）。

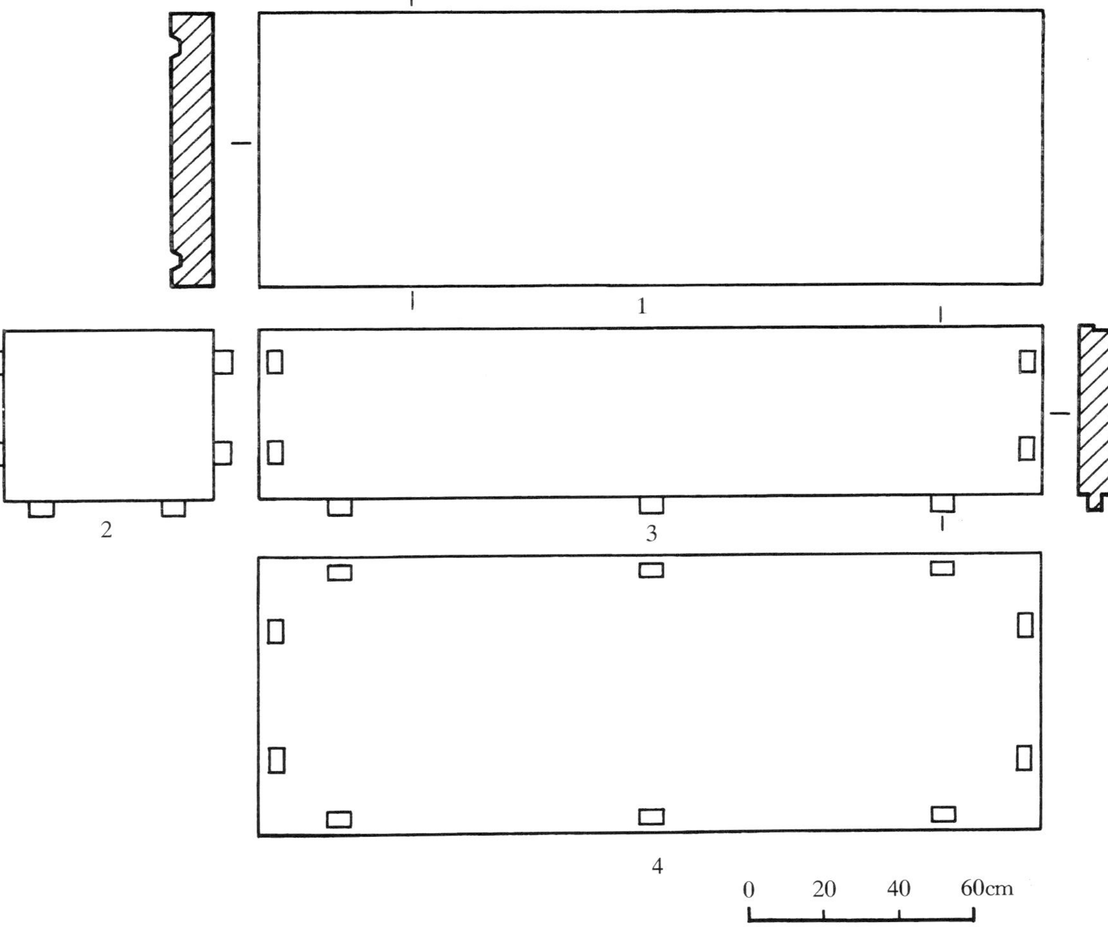

圖五　M8 棺室結構圖

1. 蓋板　2. 擋板　3. 側板　4. 底板

圖六　M8出土器物分佈圖

1. 雙耳罐　2. 陶鈁　陶竈　4. 木俑　5. 陶鈁　6. 木馬　7. 木馬　8. 漆扁壺　9. 木俑　10. 木俑　11. 木馬　12. 陶鼎　13. 陶鼎　14. 木器蓋　15. 木勺　16. 漆耳杯　17. 漆盤　18. 木俑　19. 漆盤　20. 殘木器　21. 陶盒　22. 陶盒　23. 陶甕　24. 漆耳杯　25. 漆盤　26. 漆耳杯　27. 木傘　28. 銅盂　29. 漆盤　30. 漆耳杯　31. 漆耳杯　32. 漆耳杯　33. 漆耳杯　34. 漆耳杯　35. 漆耳杯　36. 漆耳杯　37. 漆盤　38. 木俑　39. 漆耳杯　40. 木俑　41. 木器蓋　42. 木璧形器　43. 漆卮　44. 木几　45. 漆奩　46. 葫蘆瓢　47. 漆耳杯　48. 漆耳杯　49. 木珠　50. 木劍　51. 木牘　52. 木板　53. 木梳　54. 銅帶鈎　55. 木矛　56. 竹簡　57. 木篦　58. 竹簡　59. 無字木牘

二、M5

墓坑形制　墓坑上部殘，復原坑口距地表〇·七米，墓殘口東長一·七、西長二·一、寬一·九五米，墓底長三·一、寬一·八五米；墓坑底距地表深三·一米。墓壁的斜坡度約88°。墓坑內填灰白色五花土，近槨蓋板約〇·〇八米處及槨室四周填土顏色略泛青色。墓葬方向25°。

棺槨結構　由於棺槨嚴重腐朽，發掘時，皆已塌陷，棺槨內填滿了泥土。槨室長二·七、寬一·四六、殘高〇·七五米。整個槨室由槨底板之下的墊木、底板、墻板、擋板以及蓋板組成。槨底板之下南北向縱鋪長方形墊木二根，均係整根木材斫削而成，每根墊木長二·九、寬〇·一五、厚〇·〇八米。槨底板六塊，東西向平列橫鋪在墊木之上，底板長相等，每塊長一·六五米，各塊底板由北及南寬度爲〇·四七、〇·五、〇·四三、〇·四三、〇·四七、〇·四三米，底板均厚〇·一米，六塊底板拼合後總長爲二·七三米；東西兩側墻板分別用三塊木板壘砌而成，每塊長二·五五、寬〇·二至〇·三、厚〇·一米，其殘高爲〇·八四米；南北兩端各用兩塊擋板壘砌而成，擋板長一·二、寬度〇·三二至〇·四三米不等，厚〇·一米，擋板殘高〇·七五至〇·七二米，擋板內側分別鑿出深爲〇·〇二、寬〇·一米的淺槽，墻板的兩端分別嵌入淺槽內，構成子母榫結構。槨蓋板腐爛較甚，塊數不明。

棺放置於槨室西南側，緊靠槨室西墻板和南擋板，北側和東壁留出空間，作爲頭廂和邊廂。其間未用隔板分開。棺作長方盒形，內髹紅漆，外髹黑漆。長二·一二、寬〇·七米，底板、墻板、擋板厚度均爲〇·一米。儘管棺已殘朽，其結構還是能够看清楚的。棺底板、墻板與擋板的連接採用的方法與M8基本相同。仍然是栓榫結構，連接底板、墻板和擋板的木栓共十八根。每邊墻板各三根，擋板各六根，木栓呈長方形，其長、寬、厚與連接墻板的長、寬、深度相等。棺蓋與棺身的連接還是採用凹凸子母榫結構，凹凸子母榫高度相等，深度相同。

人骨架腐朽無存，葬式不明。

隨葬品　衹出陶器和漆木器以及竹器。隨葬品主要放置在槨室頭厢和邊厢之中，漆木器放置在頭厢及邊厢的北部，陶器放置在邊厢的中部，棺内没有出土隨葬品（圖七，圖版一—4）。

隨葬器物共二十五件，主要有陶器、漆器、木器和竹器四類。

陶器，共八件。其中陶鼎二件、陶盒二件、陶鈁二件、陶甕一件、陶雙耳罐一件。墓葬中出土的漆器、木器和部分陶器上有彩繪，出土時大多脱落。

漆器，漆器共七件。其中漆耳杯六件、漆奩一件。

木器，共九件。其中木俑二件、木梳一件、木篦一件、木勺一件、木璧形器一件、木珠一件、木器蓋一件、木板一件。漆器和木器保存極差。

竹器，一件，竹片。

三、M16

墓坑形制　墓坑坑口被M8打破。墓口距地表深〇·五八米，墓口長三·一五、寬二米，墓底長二·八五、寬一·六米，墓坑底距地表深一·九八米，墓坑底長寬比例爲一·八比一。坑壁斜度爲84°。坑内填土爲黄褐色五花土，土質鬆軟，未經夯打。墓葬方向12°。

棺槨已朽，衹能觀察到痕跡，槨痕長二·五、寬一·一六米，棺痕長二·〇二、寬〇·六一米。

隨葬品放置於頭厢與邊厢，頭厢放置漆木器，邊厢放置陶器，陶竈放置於西南角。棺内未見隨葬品。隨葬器物共十二件，均爲陶器和漆器。

陶器九件，其中陶鼎二件、陶盒二件、陶壺二件、陶甕一件、陶雙耳罐一件、陶竈一件。陶質較差，保存不好，多不能復原。

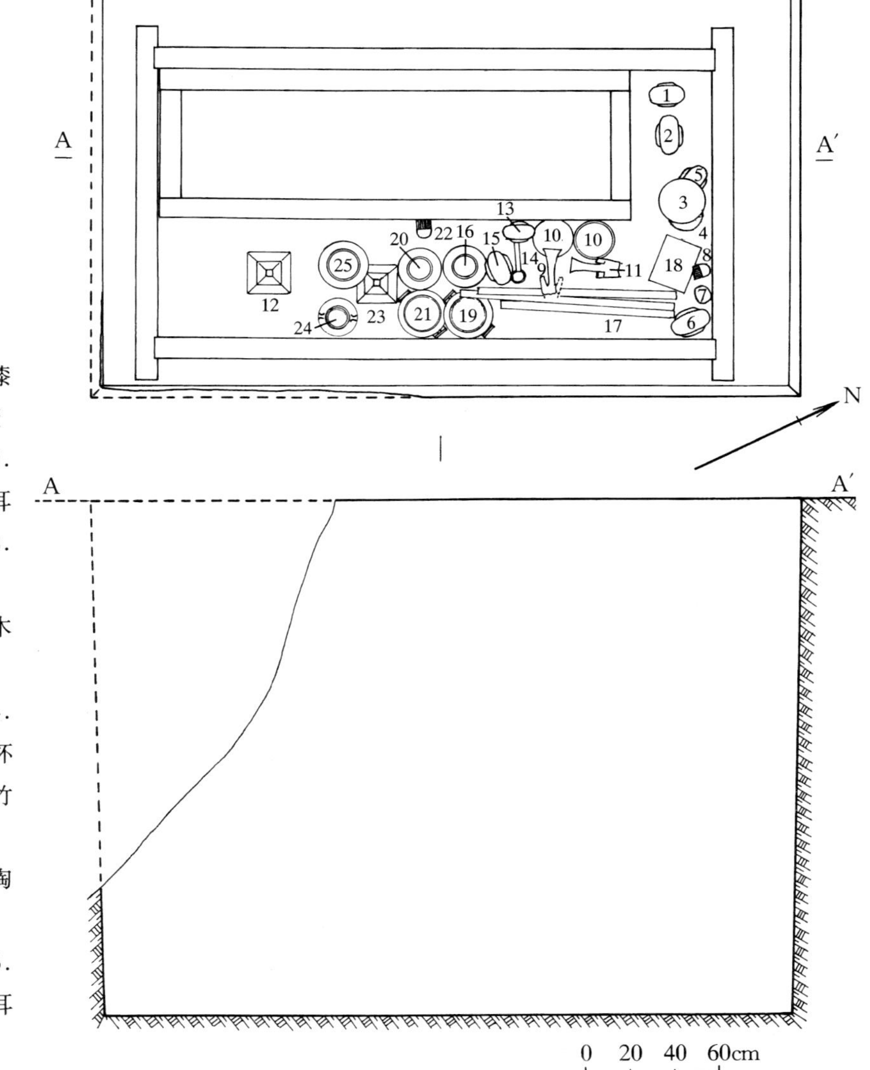

圖七　M5平、剖面圖

1. 漆耳杯　2. 漆耳杯　3. 木器蓋　4. 木璧形器　5. 漆耳杯　6. 漆耳杯　7. 木珠　8. 木篦　9. 木俑　10. 漆奩　11. 木俑　12. 陶鈁　13. 漆耳杯　14. 木勺　15. 漆耳杯　16. 陶盒　17. 竹片　18. 木板　19. 陶鼎　20. 陶盒　21. 陶鼎　22. 木梳　23. 陶鈁　24. 陶雙耳罐　25. 陶甕

漆器三件，均已腐朽，清理時根據痕跡可辨識漆奩二件，漆耳杯一件。（圖八，圖版一—5）

四、M10

墓坑形制　墓口局部被擾亂。墓口距地表〇·五五米，長二·七五、東寬一·六五、西寬一·六米，墓底長二·六三、寬一·五米，墓坑底距地表深二·五五米，墓坑底長寬的比例爲一·七五比一。坑壁斜度爲86°。坑内填土爲黄褐色五花

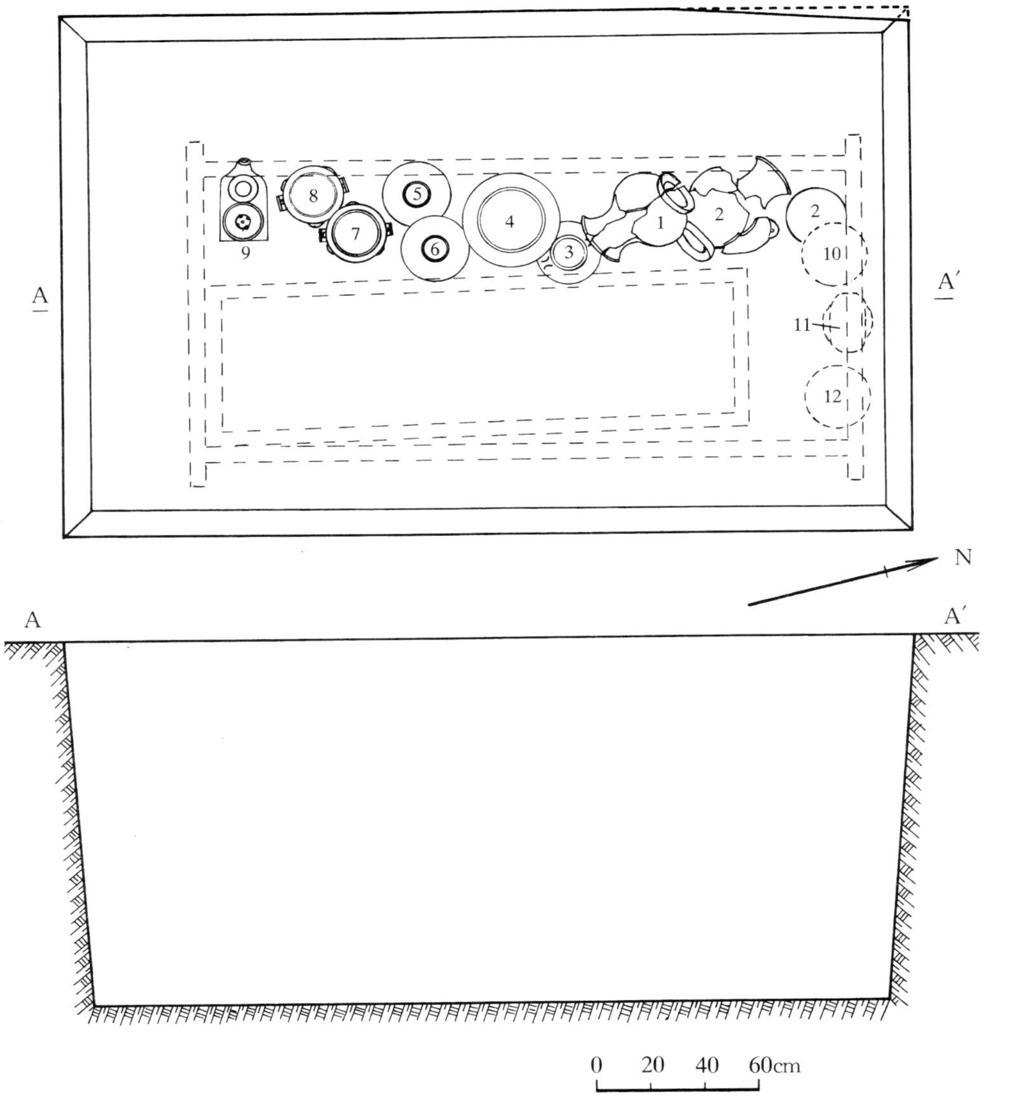

土，土質疏鬆，未見夯層和夯窩。墓葬方向115°。

葬具腐朽無存，僅存棺槨殘痕。槨室大小不詳，棺長二·二五、寬○·七米。

隨葬器物放置於邊厢，其中陶禮器放置於邊厢中部，陶竈放置於墓坑一角。

圖八　M16平、剖面圖

1. 陶壺　2. 陶壺　3. 陶雙耳罐　4. 陶甕　5. 陶盆　6. 陶盒　7. 陶鼎　8. 陶鼎　9. 陶竈　10. 漆奩　11. 漆耳杯　12. 漆奩

隨葬品共十八件，有陶器、銅器和漆器三類。

陶器，九件。其中陶鼎二件、陶盒二件、陶壺二件、陶甕一件、陶竈一件、陶盤一件（在竈旁可能是釜上的蓋），陶器保存極差。

銅器，六件。其中銅盂一件、銅鏡一件、銅帶鉤二件、銅環二件。

漆器，三件。均爲耳杯，其中兩件僅存殘痕，無法取出，另外一件僅存器底

（圖九，圖版一—六）。

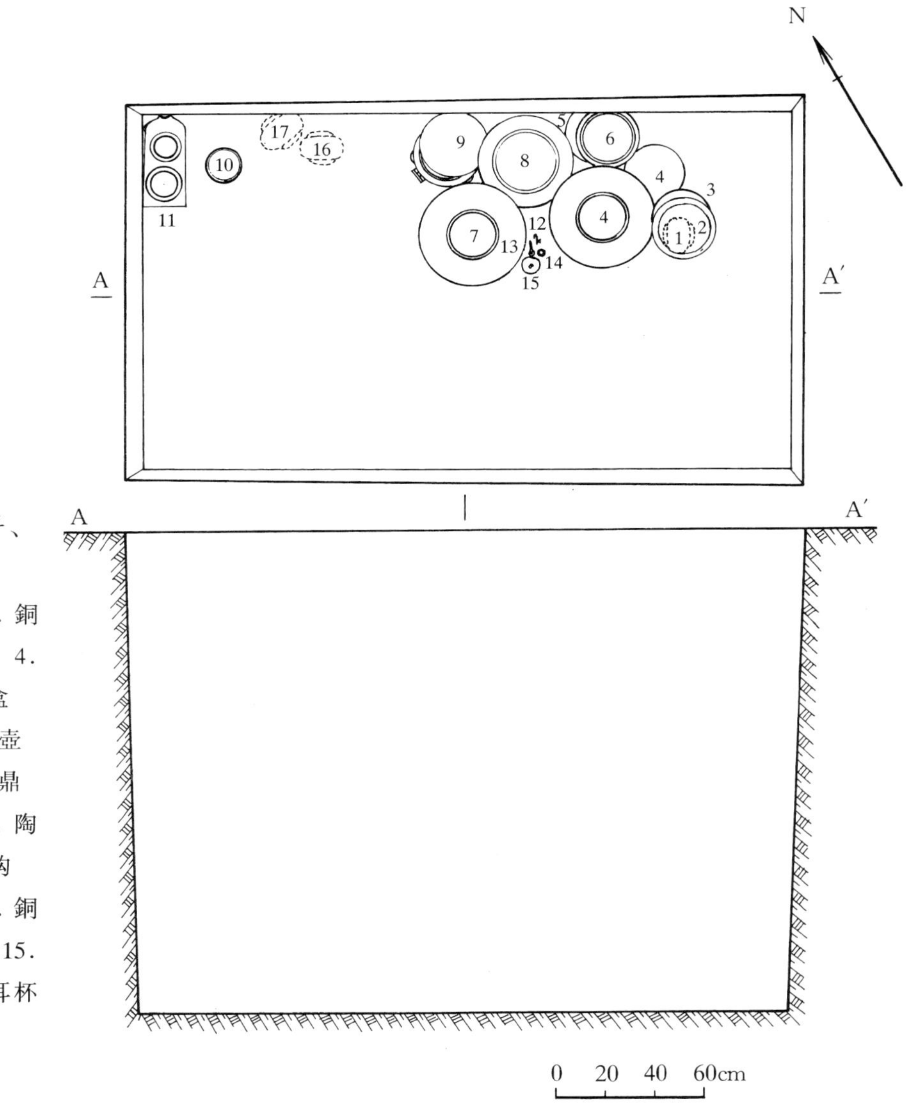

圖九　M10平、剖面圖

1. 漆耳杯　2. 銅盂　3. 陶鼎　4. 陶壺　5. 陶盒　6. 陶盒　7. 陶壺　8. 陶甕　9. 陶鼎　10. 陶鉢　11. 陶竈　12. 銅帶鉤　13. 銅帶鉤　14. 銅環（2件）　15. 銅鏡　16. 漆耳杯　17. 漆耳杯

第三章　隨葬器物

孔家坡墓地十五座土坑竪穴墓中，十四座墓葬出土有隨葬品，一座無隨葬品墓葬（M2）和其他五座隨葬品不全的墓葬（M1、M6、M11、M13、M15）均屬被晚期破壞。

十四座墓葬中共出隨葬品一百六十九件（組）。其中陶器八十四件，銅器九件，漆器三十九件，木器二十九件，雜器四件，另有木牘和竹簡四件（組）。

第一節　陶器

陶器共八十四件，分别出自於十四座墓中。保存狀况極差，出土時，絶大部分已經破損，有相當多器物無法修復，但多數可觀察到器形及器類。

陶器的燒製火候不高，陶質較差。陶質以泥質陶爲主，少數器類如雙耳罐及個别陶盒爲夾細砂灰陶或紅陶。陶器的製法以輪製爲主，輔以少量的手製和模製方法。

陶器器表以素面爲主，紋飾見弦紋、繩紋、籃紋、壓印紋，也有少數器物如鼎、盒、壺等器表先施黑色漆衣，然後彩繪捲雲紋和變形鳳鳥紋等紋樣。出土時，彩繪多已脱落。

陶器器類並不複雜，其類别主要有鼎、盒、壺、鈁、甕、罐、杯、竈等。鼎、盒、壺、鈁等陶禮器在器物未擾亂的各個墓葬中均成對出土，甕、罐、竈爲單件出土。

一、鼎　十九件。分别出自於十一座墓，在每座墓葬中均成對出土。下葬時，大多數放置於邊厢中部。根據鼎腹的變化，可分爲三型。

A型　八件。寬淺腹，腹底較平。可分二式。

A型Ⅰ式　二件。皆出自M16。淺腹高足。細泥質黄褐陶，火候不高，胎質鬆軟。器身輪製，耳足模製成坯後粘附於器身之上。子口承蓋，蓋殘，斂口、上腹壁較直，圜底近平，三蹄足内收，足根外撇，方形附耳外侈。素面。標本M16:8，口徑二〇、腹徑二二·四、腹深七·二、通耳高一九·六厘米（圖一〇—1，圖版二—1）。

A型Ⅱ式　六件。分别出自三座墓葬，M4、M12、M14各出二件。淺腹如長方形。細泥質灰陶。器蓋、器身爲輪製，耳、足模製成形後粘捏於器身之上。子口承蓋，蓋頂隆起。淺腹、上腹壁較直，近平底，方形附耳外侈，扁蹄足。M4兩件鼎器表施黑色陶衣爲地，器蓋朱色彩繪波浪紋和弦紋，器腹飾弦紋一周。出土時，黑色陶衣和朱色彩繪大多脱落，僅留少許殘痕。標本M4:5，口徑一七·六、腹徑二〇·八、腹深七·六、通耳高一八厘米（圖版二—2）。標本M14:8，足根部兩側各有一圓圈紋，腹部飾一周凸弦紋，口徑二〇·八、腹徑二四·八、腹深八·八、通耳高二二厘米（圖一〇—2）。標本M4:4，口徑一七·六、腹徑二〇·八、腹深七·二、通蓋高一七·二厘米（圖一〇—3）。

B型　九件。深腹，圜底。可分三式。

B型Ⅰ式　四件。分别出自M5、M8。淺腹矮足。細泥質黄褐陶，火候不高，器身寬大於高。器蓋、器身爲輪製，器耳、器足爲模製。子口承蓋，蓋頂隆起。淺腹，弧腹壁，平底，蹄足，附耳外撇。器表施黑色漆衣，器蓋以黑色陶衣爲地，用朱、黄二色彩繪捲雲紋、弦紋，出土時彩繪大多脱落。標本M8:12，口徑一七、腹徑一九、腹深六·七、通蓋高一四·四厘米（圖一〇—4，彩版二—1，圖版二—3）。

B型Ⅱ式　四件。分别出自M7、M10。腹略深，矮扁足，器身寬扁。泥質灰陶，火候較高。蓋、身爲輪製，耳、足爲模製。子口承蓋，蓋頂弧形隆起。深弧腹，圜底，長方形附耳外折，扁蹄足外撇。腹部飾凹弦紋。器内外施黑色陶衣，器表飾朱色彩繪，出土時已脱落。標本M7:3，足根部飾獸面紋。口徑一九·二、腹徑二三·二、腹深一一·六、通耳高一八·八厘米（圖一〇—5，圖版二—4）。標本M10:9，器腹扁圓，兩耳頂端外折，腹部有四道凹弦紋。口徑一九·二、

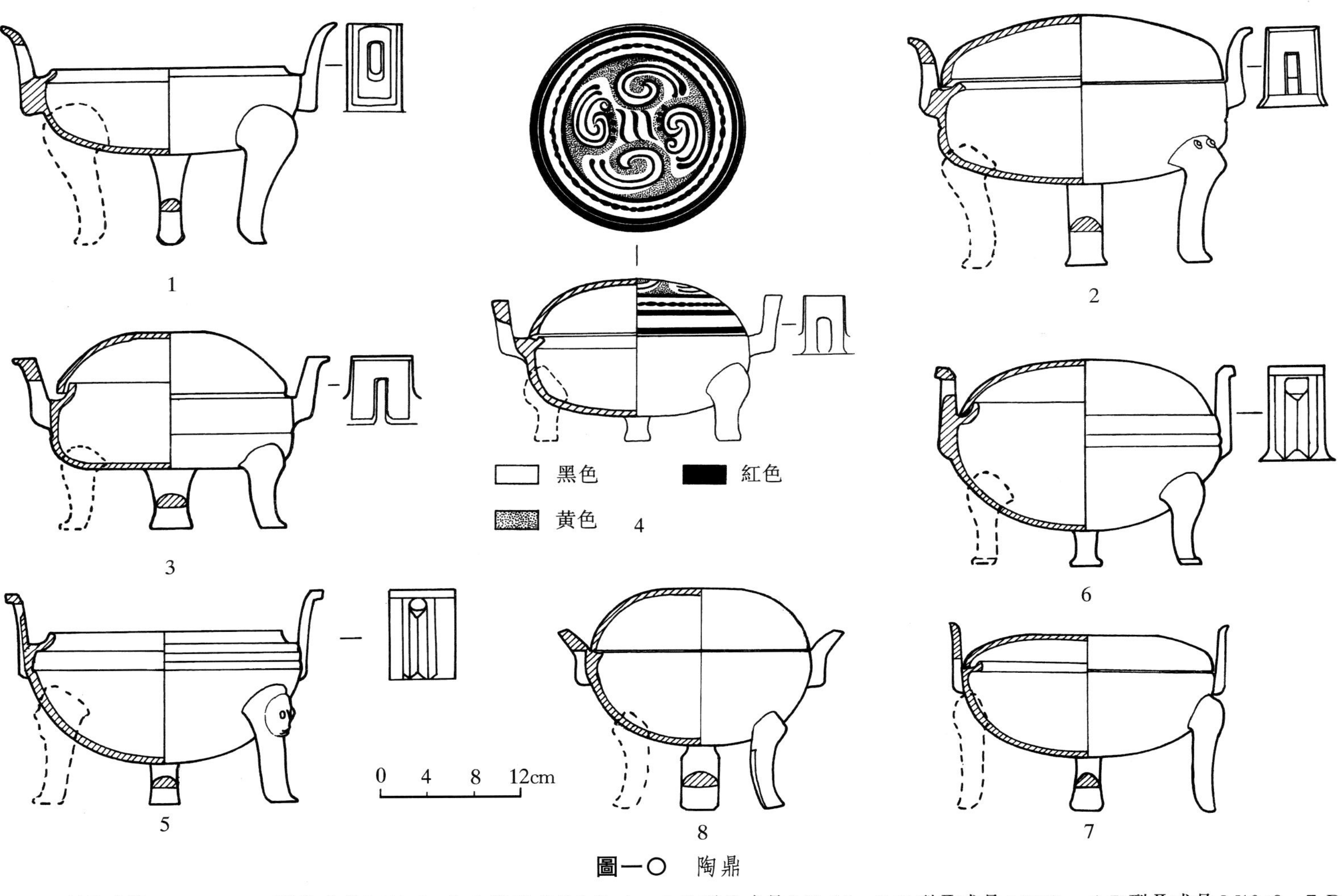

圖一〇　陶鼎

1.A型Ⅰ式鼎 M16:8　2.A型Ⅱ式鼎 M14:8　3.A型Ⅱ式鼎 M4:4　4.B型Ⅰ式鼎 M8:12　5.B型Ⅱ式鼎 M7:3　6.B型Ⅱ式鼎 M10:9　7.B型Ⅲ式鼎 M1:5　8.C型鼎 M11:2

腹徑二三·二、腹深一一·二、通蓋高一八·四厘米（圖一〇—6）。

B型Ⅲ式　一件。標本M1:5，深腹、扁足。泥質黃褐陶，胎質鬆軟。器蓋、身爲輪製，耳、足爲模製。子口承蓋，蓋隆起，頂較平，淺腹，圜底，扁蹄足微撇，長方形附耳外侈。器表施黑陶衣，蓋、身皆飾朱色彩繪，出土時已脱落。口徑一八·四、腹徑二一·六、腹深七·八、通耳高一六·四厘米（圖一〇—7，圖版二—5）。

C型　一件。球形腹。標本M11:2，深腹，器身扁圓。泥質灰陶。器蓋、身爲輪製，耳、足爲模製。平口承蓋，蓋頂隆起。圜底，半圓形蹄足内收，足根外撇，附耳外撇。素面。口徑一六·八、腹徑一九·二、腹深八、通蓋高一九·六厘米（圖一〇—8，圖版二—6）。

部分陶鼎的尺寸見表二。

表二　陶鼎尺寸統計表　（單位：厘米）

型	式	器號	口徑	腹徑	腹深	連耳寬	通耳高
A	Ⅰ	M16:8	20	22.4	7.2	28.8	19.6
A	Ⅱ	M4:4	17.6	20.8	7.2	27.2	17.2
A	Ⅱ	M4:5	17.6	20.8	7.6	24.8	18
A	Ⅱ	M12:7	20	25.6	11.6	31.2	23.2
A	Ⅱ	M14:8	20.8	24.8	8.8	29.2	22
A	Ⅱ	M14:9	21	26	10	31	23
B	Ⅰ	M8:12	17	19	6.7	25	14.4
B	Ⅱ	M7:3	19.2	23.2	11.6	27.2	18.8
B	Ⅱ	M10:9	19.2	23.2	11.2	25.6	18.4
B	Ⅲ	M1:5	18.4	21.6	7.8	24	16.4
C		M11:2	16.8	19.2	8	24.8	19.6

二、盒　十八件。分別出於十座墓，在每座墓葬中均爲成對出土。下葬時，均放置於邊厢。根據器身和口沿形制的不同，可分三型。

A型：十四件。帶捉手。可分三式。

A型Ⅰ式　二件。皆出於M16。泥質灰陶，陶質較軟。器蓋與器身爲輪製。整體呈扁圓形。全器由器蓋、器身合爲一器。器蓋爲直口弧壁，蓋頂有圓圈狀捉手，器蓋與器身的高度大致相等。器身爲斂口内折沿，圓唇，深腹，平底。子口承蓋。素面。標本M16:6，口徑一七·六、腹徑二〇、底徑七·二、腹深七·二、通高一四厘米（圖一一—1，圖版三—1）。

A型Ⅱ式　七件。分別出土於M5、M8、M10、M12等四座墓葬。多爲泥質黄褐胎和泥質灰胎，火候較高，保存較好。全器爲輪製，經慢輪修整。盒蓋與器身作子母口扣合而成。蓋爲直口弧壁，頂端近平，中央有圓圈形捉手。器身爲斂口，圓唇微折上昂，淺腹，弧壁，小平底内微凹。器蓋與器身的大小大致相等。器表施黑衣爲地，盒蓋用朱、黄二色彩繪，紋飾爲雲紋和弦紋。出土時，部分器蓋彩繪和器身黑漆衣已脱落。標本M8:22，蓋内殘存有菜籽。口徑一七·二、腹徑一八·五、底徑七·二、腹深六·六、通高一三厘米（圖一一—2，彩版二—2、3，圖版三—2）。標本M10:5，體呈扁圓形，器身略大於器蓋，器表施黑色陶衣。蓋頂捉手已失。口徑二〇、腹徑二三·二、底徑八，腹深一〇、通高二〇厘米（圖一一—3）。標本M12:5，器身斂口圓唇，折沿上昂，身高大於蓋高，最大口徑大於通高。口徑二〇·八、腹徑二四、底徑八、腹深九·六，通高一九·二厘米（圖一一—4，圖版三—3）。

A型Ⅲ式　五件。分別出土於三座墓。泥質灰胎。陶質較差，火候不高。器蓋、器身皆爲輪製。全器呈方圓形，由蓋、器身合爲一器。子母口，有蓋，蓋爲直口弧壁，頂部有圓圈形捉手；器身的高度略大於器蓋。器内外施黑色陶衣，器表黑色陶衣之上有朱色彩繪，蓋頂圓圈形捉手内飾弦紋、波浪紋和雲紋，蓋飾弦紋和波浪紋各二周，器身腹部有凹弦紋二周。出土時，彩繪皆已脱落，隱約可見

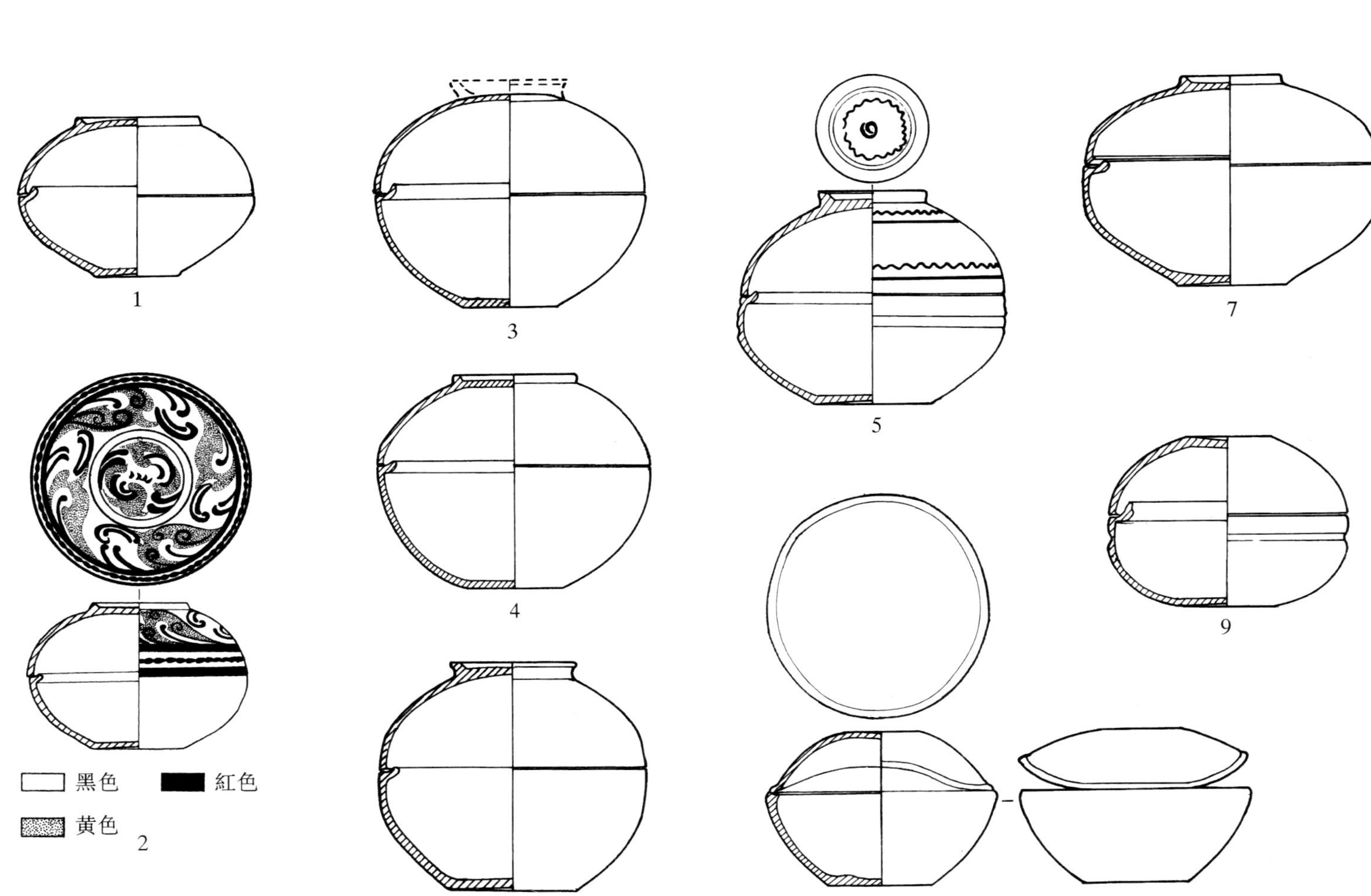

圖一一　陶盒

1.A型Ⅰ式盒M16:6　2.A型Ⅱ式盒M8:22　3.A型Ⅱ式盒M10:5　4.A型Ⅱ式盒M12:5　5.A型Ⅲ式盒M7:8　6.A型Ⅲ式盒M10:6　7.A型Ⅲ式盒M14:6　8.B型盒M11:1　9.C型Ⅱ盒M4:2

痕跡。標本M7:8，口徑二〇、腹徑二三·二、底徑一〇·四、腹深九·六、通高一九·二厘米（圖一一—5，圖版三—4）。標本M10:6，口徑二〇、腹徑二三·二、底徑一一·二、腹深一〇·八、通高二〇·四厘米（圖一一—6）。標本M14:6，全器寬扁，器身大於器蓋，腹徑大於高度。口徑二一·六、腹徑二五·六、底徑九·六、腹深一〇·四、通高一九厘米（圖一一—7）。

B型　一件。淺蓋，無捉手。標本M11:1，夾細砂泥質灰胎。陶質較硬，火候較高，器蓋燒製變形，器身器蓋均爲輪製。全器由器身與器蓋扣合而成。器蓋爲折沿，弧壁，蓋頂近平；器身爲內折沿斂口，深弧腹，平底，器身大於器蓋。素面。口徑一九·六、腹徑二〇、底徑八·八、腹深八、通高一三·六厘米（圖一一—8，圖版三—5）。

C型　二件。深蓋，無捉手。皆出自M4。泥質紅胎，陶質鬆軟。器蓋、器身皆爲輪製。與A型盒形制相同，僅蓋無捉手。盒體扁圓，由蓋、身作子母口扣合而成。蓋爲直口，弧壁，頂平微凹；器身爲內折沿向上昂起，圓唇，直腹，平底。腹部飾凹弦紋一周。標本M4:2，口徑一七·二、腹徑二〇·八、底徑八、腹深八·四、通高一五·二厘米（圖一一—9，圖版三—6）。

部分陶盒的尺寸見表三。

三、壺　十四件。分別出自八座墓，組合齊全的墓葬每座墓所出二件均成對，能夠修復的較少。均出土於邊廂。根據圈足的有無，可分爲二型。

A型　八件。圈足壺。陶質較硬。細頸，圓鼓腹，圈足。可分三式。

A型Ⅰ式　二件。皆出自M16。泥質灰胎，器身輪製，鋪首模製成形後，粘捏於肩上。器蓋頂部隆起，弧頂。邊沿處有凹弦紋一道；器身作盤口，圓鼓腹較深。肩部有兩個對稱鋪首，環已失。頸部有二道凹弦紋，圈足飾凸弦紋一周，最大腹徑在下部。標本M16:2，口徑一八·四、腹徑二八·八、足徑一七·六、腹深三六·四、通蓋高四四·八厘米（圖一二—1，圖版四—1）。

表三　陶盒尺寸統計表　（單位：厘米）

型	式	器號	口徑	腹徑	底徑	腹深	蓋深	通高
A	Ⅰ	M16:6	17.6	20	7.2	7.2	6.4	14.4
A	Ⅱ	M8:22	17.2	18.5	7.2	6.6	4.5	13
A	Ⅱ	M10:5	20	23.2	8	10	8.6	20
A	Ⅱ	M12:5	20.8	23.6	8	10.6	6.8	19.2
A	Ⅲ	M7:8	20	23.2	10.4	9.6	7.6	19.2
A	Ⅲ	M10:6	20	23.2	11.2	10.8	8.4	20.4
A	Ⅲ	M14:6	21.6	25.6	9.6	10.4	6.8	19
B		M11:1	17.6	20	8.8	8	5.2	13.6
C		M4:2	17.2	20.8	8	8.4	6	15.2

A型Ⅱ式　五件。分別出自M1、M7、M10等三座墓葬。泥質黃褐胎。器身爲輪製，鋪首爲模製。器蓋爲直口弧壁，蓋頂隆起。器身作盤口，廣肩，圓鼓腹，喇叭口大圈足，腹部有鋪首一對，銜環已失。標本M10:4，器口沿外折，喇叭口圈足外撇。器表施黑色陶衣，肩部有凹弦紋二道。蓋口徑二四·八、器口徑二二·四、腹徑四〇、足徑二三·六、腹深三七·二、通蓋高四八·八厘米（圖一二—2，圖版四—2）。標本M1:3，平底。器口沿朱色彩繪弦紋二道，弦紋之間填三角折綫紋，組成朱色彩繪花紋帶一周。通體飾朱色彩繪，出土時已脫落。僅見彩痕。器頸和腹部有五周凹弦紋，下腹部飾繩紋。圈足有凸弦紋一周，圈足下部朱色彩繪弦紋二道，兩弦紋間填以波浪紋。口徑二〇·八、腹徑三二·八、足徑二

〇、腹深三二·四、通蓋高四〇·四厘米（圖一二—3，圖版四—3）。

A型Ⅲ式　一件。標本M4:6，泥質灰陶，火候較高。口、圈足均折爲盤口形，廣肩，扁腹，腹底平，鋪首上帶有環形紐，蓋失。腹部着黑衣，朱色彩繪組成三周花紋帶，分别爲三角紋、雲紋、菱形紋，彩繪多數已脱落。下腹飾繩紋。口徑一七·六、腹徑三四·四、足徑二〇·六、腹深三四、通高三九·八厘米（圖一二—4，圖版四—4）。

B型　四件。平底壺。出於M12、M14。泥質灰胎。器身輪製，鋪首模製成形後，黏附於其上。器蓋、弧壁隆起，器身爲盤口，細頸，溜肩，圓鼓腹，平底。肩部有鋪首一對。標本M14:5，器身飾凹弦紋三組，器底邊緣有手捏花邊一周。口徑二二·四、腹徑三五·二、底徑二〇·八、腹深四〇、通蓋高四六厘米（圖一二—5，圖版四—5）。

部分陶壺尺寸見表四。

表四　陶壺尺寸統計表

（單位：厘米）

型	式	器號	口徑	腹徑	足徑	腹深	通蓋高
A	Ⅰ	M16:2	18.4	28.8	17.6	36.4	44.8
A	Ⅱ	M1:3	20.8	32.8	20	32.4	40.4
A	Ⅱ	M10:4	22.4	40	23.6	37.2	48.8
A	Ⅲ	M4:6	17.6	34.4	20.6	34	39.8
B		M14:5	22.4	35.2	20.8	40	46

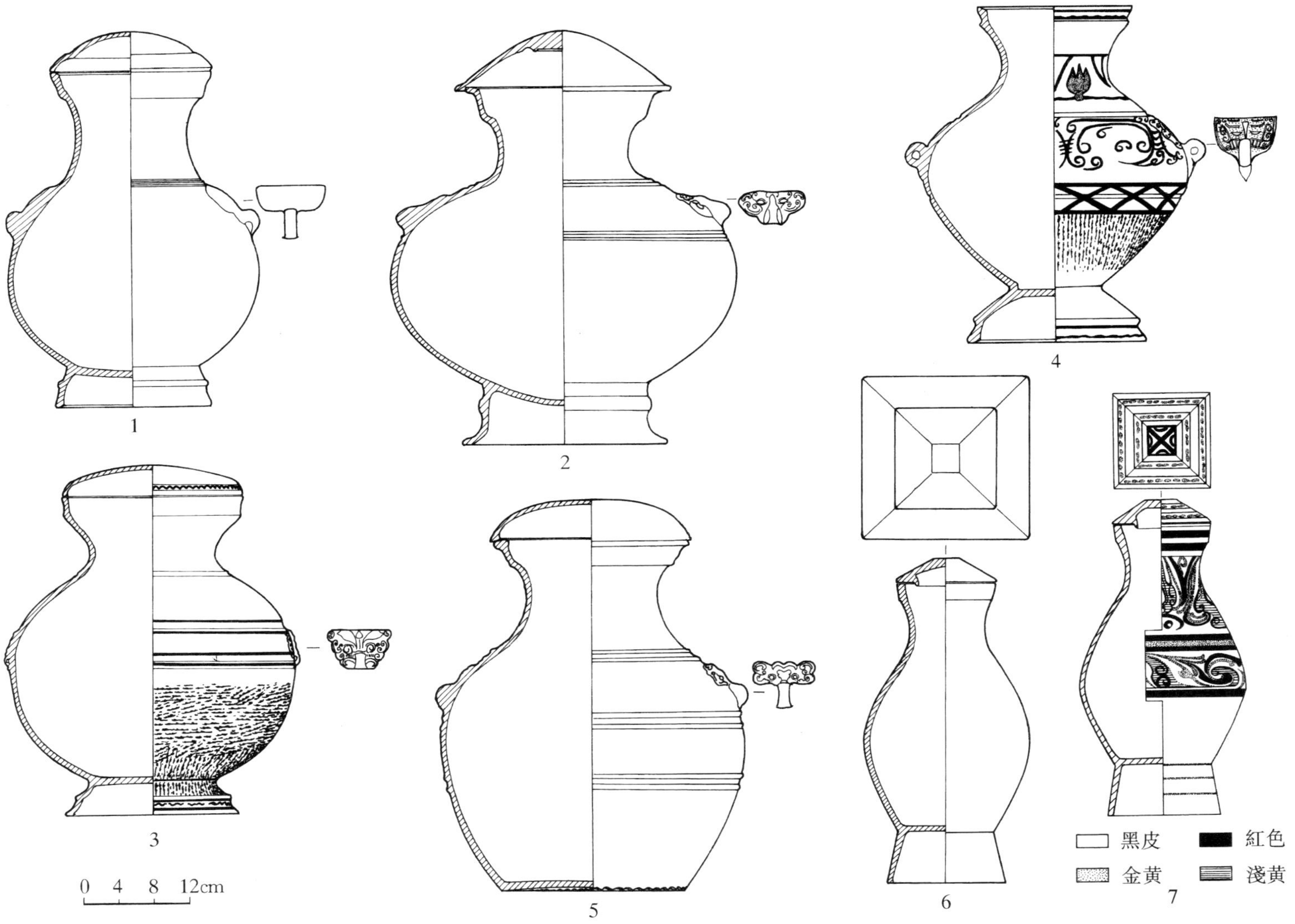

0　4　8　12cm

黑皮　紅色　金黄　淺黄

圖一二　陶壺、鈁

1.A型Ⅰ式壺M16:2　2.A型Ⅱ式壺M10:4　3.A型Ⅱ式壺M1:3　4.A型Ⅲ式壺M4:6　5.B型壺M14:5　6.鈁M5:23　7.鈁M8:5

四、鈁　五件。分別出土於三座墓，M5、M8各出二件，均出土於邊廂。形制、製作方法以及彩繪花紋基本相同，惟大小有別。横截面爲方形，帶蓋，蓋平頂四面坡形。泥質灰胎或黄褐胎。從殘留在器内和器底手捏與刮削的痕跡觀察，器蓋與器身均爲模製，連接處以手捏粘接而成。標本M5:23，爲泥質黄褐胎。方口微侈，溜肩，方腹微鼓，平底，圈足。器表施黑衣爲地，用朱、黄、褐三色彩繪，蓋飾幾何紋、月牙紋，器身飾弦紋、雲氣紋和草葉紋，出土時花紋多已脱落。口徑一一·二、腹徑一九·二、足徑一三·六、腹深二八·四、通蓋高三八·四厘米（圖一二—6，圖版四—6）。標本M8:5，泥質灰胎。方蓋，口微侈，長頸，溜肩，方圈足微外侈。器表以黑衣爲地，用朱、黄、褐三色彩繪，蓋飾幾何紋，口沿外一周寬邊帶，器身飾弦紋、草葉紋和雲氣紋，出土時色彩部分脱落。口徑一一·四、腹徑一九、足徑一三、腹深二七·二、通蓋高三六·八厘米（圖一二—7，彩版二—4）。

五、甕　九件。分別出自九座墓，每墓各出一件，放置於邊廂。出土時，大多殘破嚴重，能够修復的衹有二件。可分二式。

Ⅰ式　一件。標本M7:4，泥質灰胎。輪製。侈口圓唇，束頸，廣肩，圓腹，下腹部内收，平底。肩部飾有三道凹弦紋。口徑二四、腹徑三八·四、底徑二三·二、腹深二六、通高二六·四厘米（圖一三—1，圖版五—1）。

Ⅱ式　一件。標本M8:23，泥質灰陶。輪製。直口平沿，折肩，腹傾垂，圜底，最大腹徑在下部。通體飾繩紋，肩部殘留兩道折綫朱色彩繪痕跡，出土時，朱色彩繪已脱落。口徑二三·五、腹徑四一·八、腹深三八·二、通高三九厘米（圖一三—2，圖版五—2）。

六、雙耳罐　七件。分別出土於七座墓，每墓各出一件。下葬時，皆放置於邊廂。陶質極差，火候不高。出土時，大都殘破，能够復原的有三件。形制大體相同，大小有別。均爲泥質灰胎，器身輪製，雙耳手製，然後粘捏於其上。侈口方唇，束頸，溜肩，圓鼓腹，小平底微内凹，肩部有兩個對稱牛鼻耳。下腹部飾

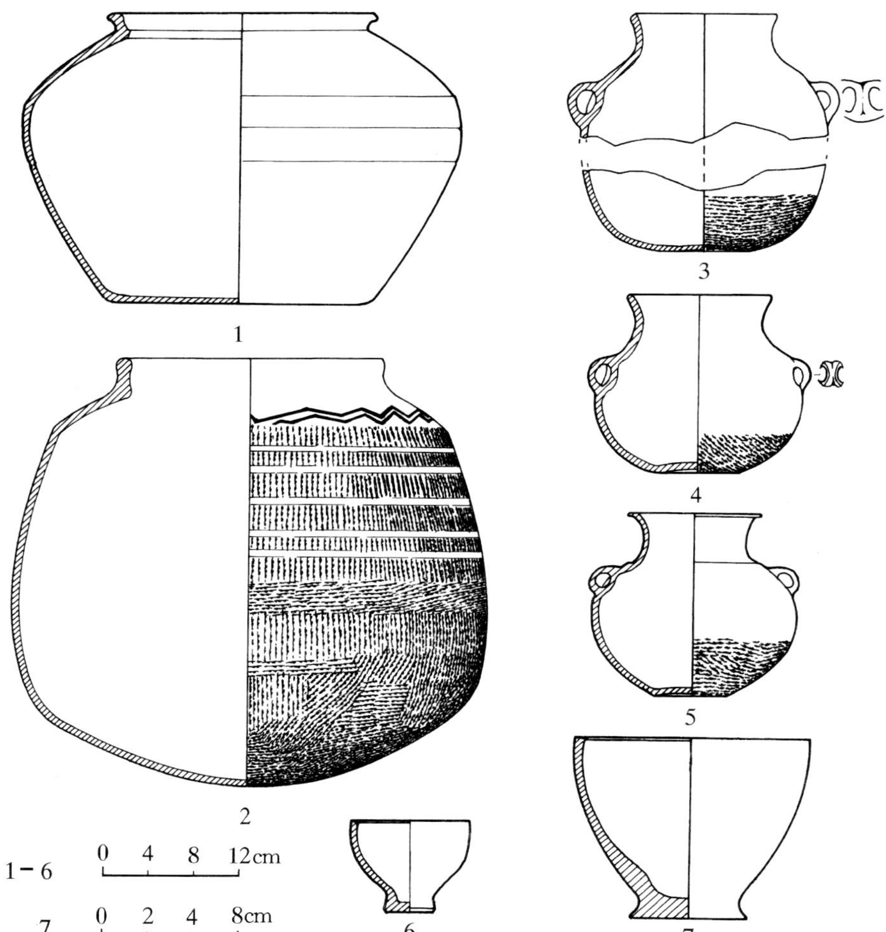

圖一三　陶甕、雙耳罐、杯

1. Ⅰ式甕M7:4　2. Ⅱ式甕M8:23　3. 雙耳罐M8:1　4. 雙耳罐M7:5　5. 雙耳罐M5:24　6. 杯M12:2　7. 杯M12:1

繩紋。標本M8:1，口徑一二·八、腹徑二二、底徑八、復原高度二一·六厘米（圖一三—3）。標本M7:5，口徑一一·八、腹徑一八·四、底徑七、腹深一五·二、通高一六·四厘米（圖一三—4，圖版五—3）。標本M5:24，口徑一二、腹徑一八·四、底徑六·二、腹深一六、通高一六·八厘米（圖一三—5，圖版五—4）。

七、杯　二件。皆出土於M12。下葬時，放置於頭廂。形制相同，大小略異。均爲泥質灰陶。輪製。敞口，杯壁微弧下收，假圈足。器内外均飾黑色漆衣，出土時已脱落。素面。標本M12:2，口徑一〇·八、腹深七·四、底徑四·四、通高八·四厘米（圖一三—6）。標本M12:1，口徑一〇·四、腹深七·二、底徑五、通高八·二厘米（圖一三—7，圖版五—5）。

八、竈　七件。分別出土於七座墓，每墓各出一件。下葬時，皆放置於邊廂

足部。均爲泥質灰胎，模製。出土時，大都殘破，能復原的有五件。均泥質灰胎。模製成形後粘捏組合而成，竈具爲輪製。前端方形竈門落地，後端有圓柱形煙囱，煙囱中空；竈面上有前後兩個火眼，火眼上一般放置釜、甑等。根據造型不同，可分爲二型。

A型　四件，平面前圓後方如船形。可分二式。

A型Ⅰ式　二件。分別出自M16、M8。竈體短寬，竈具四件，兩火眼下層均置陶釜，陶釜上置甑或鉢。竈面及竈壁上壓印有圓圈紋。標本M8:3，前側陶釜上置陶甑，後側陶釜上扣置陶鉢。竈長三一·四、寬一五·二、通高二〇·六厘米（圖一四—1，圖版六—1）。標本M16:9，前側陶釜上扣置一陶鉢，後側陶釜上置一陶甑。長三〇·四、寬一六、通高一九·六厘米（圖一四—2）。

A型Ⅱ式　二件。分別出自M10、M14。竈體窄長，竈具二件，竈面兩個火眼上各置一釜，竈墻內收。素面。標本M10:11，長三五·二、寬一六·四、通高一六·四厘米（圖一四—3）。標本M14:3，器形矮小，長二八、寬一二、通高一二·八厘米（圖一四—4，圖版六—2）。

B型　一件。標本M7:7，竈體呈長方形，一端設竈門，另一端置煙囱，竈面兩側設有曲尺形擋板，煙囱附在擋板之上。竈面上有兩個火眼，分別放置一陶釜，靠竈門的一端陶釜上置一陶甑。竈及曲尺形擋板正面飾壓印圓圈紋。長二九·六、寬一九·二、通高二一·二厘米（圖一四—5，圖版六—3）。

部分陶竈尺寸見表五。

另外，在幾座墓葬中出土的器物，原來可能是用作竈具的。這樣的器類有甑、釜、鉢。

甑　一件。標本M13:1，泥質灰胎。輪製。敞口，平折沿，圓唇，上腹壁直而短，下腹壁長且弧，小平底，底部有五個圓箅孔，形制與其他竈上陶甑相同。口徑一二·七、腹深五·二、底徑四·六、通高五·六厘米（圖一四—6，圖版五—6）。

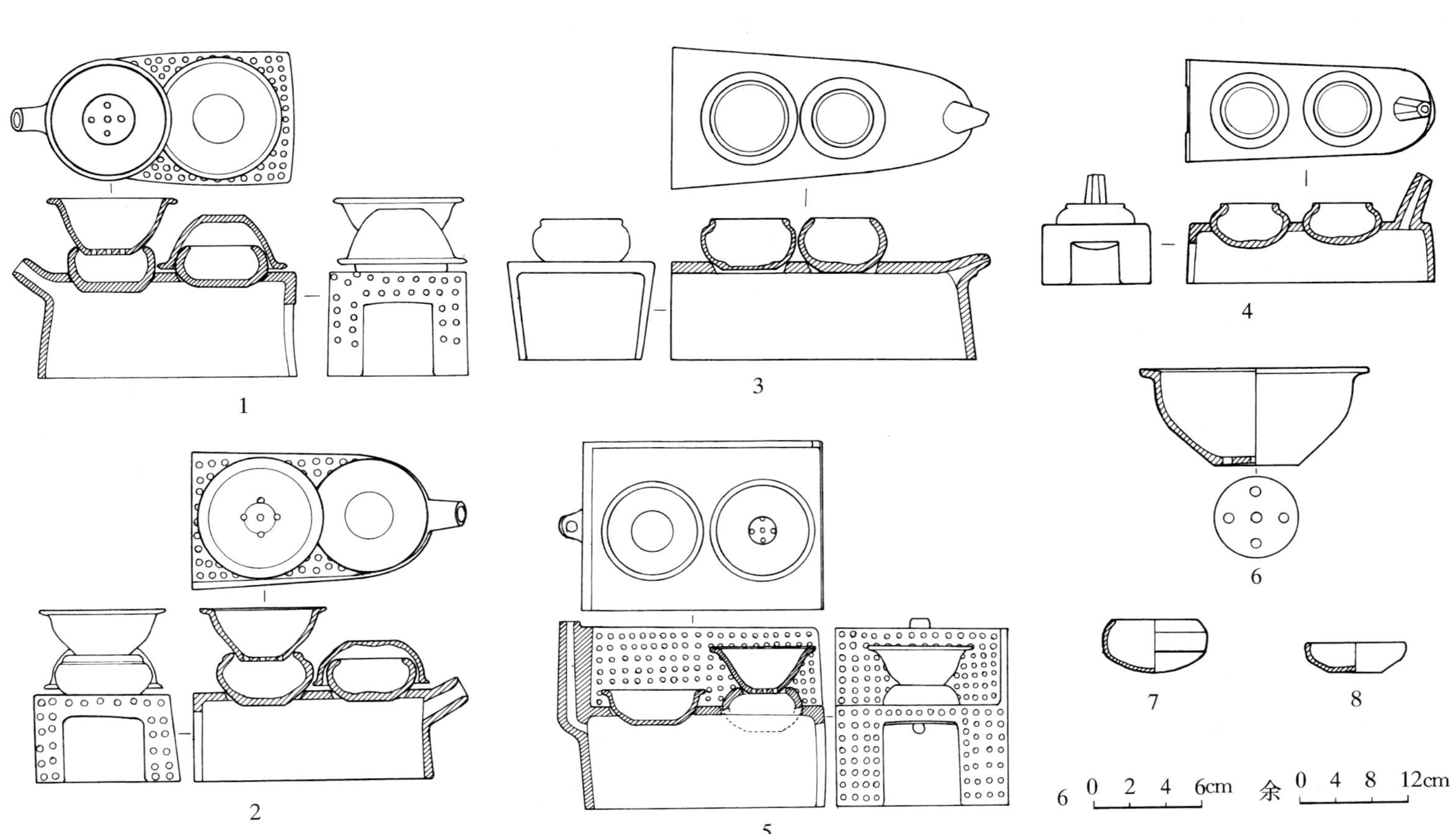

圖一四　陶竈、甑、釜、鉢

1.A型Ⅰ式竈 M8:3　2.A型Ⅰ式竈 M16:9　3.A型Ⅱ式竈 M10:11　4.A型Ⅱ式竈 M14:3　5.B型竈 M7:7　6.甑 M13:1　7.釜 M1:3　8.鉢 M10:10

表五　陶竈尺寸統計表　（單位：厘米）

型式		器號	長	寬	高
A	Ⅰ	M8:3	31.4	15.2	20.6
		M16:9	30.4	16	19.6
	Ⅱ	M10:11	35.2	16.4	16.4
		M14:3	28	12	12.8
B		M7:7	29.6	19.2	21.2

釜　一件。標本M1:3，泥質灰胎。輪製。斂口，圓唇，圜底，形制與其他竈上陶釜相同。腹部飾兩周弦紋。口徑九·五、腹深五·六、腹徑一一·六、通高六厘米（圖一四—7，圖版五—7）。

鉢　一件。標本M10:10，泥質灰胎。輪製。直口，圓唇，淺腹，平底，形制與其他竈上陶鉢不同，出土於M10陶竈附近，可能爲竈具。口徑一〇·八、腹深三·二、底徑六、通高三·六厘米（圖一四—8，圖版五—8）。

第二節　銅器

銅器　九件。分別出自三座墓葬。器類有盂、帶鈎、鏡、圓環等。日用器保存較差，銅鏡破損較甚。多數器爲素面。

一、盂　二件。分別出自二座墓。下葬時，均放置在頭廂。器表呈墨緑色。均爲鍛製而成。根據造型的不同可分爲二式：

Ⅰ式　一件。標本M8:28，器形較小。侈口，平沿外折，弧壁，圜底，通體光素。口徑二一·五、腹徑一九·六、腹深八·三、通高八·四五、胎厚〇·一五厘米（圖一五—1，圖版七—1）。

Ⅱ式　一件。標本M10:2，侈口，尖唇，折沿，圓鼓腹，最大腹徑在中腹，弧壁下收，平底，素面。出土時，底部已殘破。口徑二五·六、最大腹徑二五·二、底徑一一·五、腹深一二·六、通高一二·八、胎厚〇·二厘米（圖一五—2，圖版七—2）。

二、帶鈎　三件。分別出自二座墓葬。出土時，放置在頭廂和邊廂。均爲青銅鑄造。標本M8:54，器體小，細長，腹較寬，至頸漸窄，腹正面作琵琶形，鈎作鴨首狀，首端浮雕成雙眼獸面狀，背面有一束腰圓紐。通體光素。腹徑一、腹厚〇·三、通長五·三、紐徑一厘米（圖一五—3，圖版七—5）。標本M10:12，體形短小，腹扁平，較窄，鈎作鴨首狀，背面有一束腰方紐，腹部正面有二道弦紋。腹寬〇·五五、厚〇·三、通長三·八、方紐邊長一·四厘米（圖一五—4，圖版七—6）。標本M10:13，全器體形較大，腹部扁平，正面爲鏤空獸面紋，頸部細長，鈎作鴨首形，背面有一束腰圓紐。最大腹徑三·八、腹厚〇·二、紐徑一·七、通長八·七厘米（圖版七—7）。

三、鏡　二件。分別出自二座墓葬。下葬時，放置在棺外的頭廂和邊廂。出土時，兩件皆已殘破。標本M14:1，灰白色。圓形。三弦紋紐，尖緣。紐外一圈窄凹面帶，整個紋飾由地紋和主紋組成，地紋是螺旋紋，主紋爲蟠虺紋，凹面形圈帶紋叠壓在虺紋上，圈帶上均匀飾有四個乳丁紋，鏡面平滑。緣厚〇·三、直徑八·四厘米（圖一五—5，彩版二—5，圖版七—3）。標本M10:15，灰白色。圓形。三弦紋紐，尖緣。紐外有一周凹面圈帶。凹面圈帶外有一周以螺旋紋爲地紋，變形蟠虺紋爲主紋的花紋帶。緣厚〇·二五，直徑八·四厘米（圖一五—6，圖版七—4）。

四、圓環　二件。均出自M10，下葬時，放置於邊廂。緑色，圓形，斷面爲圓形。素面。標本M10:14－1，環徑二·八厘米（圖一五—7，圖版七—8）。標本M10:14－2，環徑一·六厘米（圖一五—8，圖版七—8）。

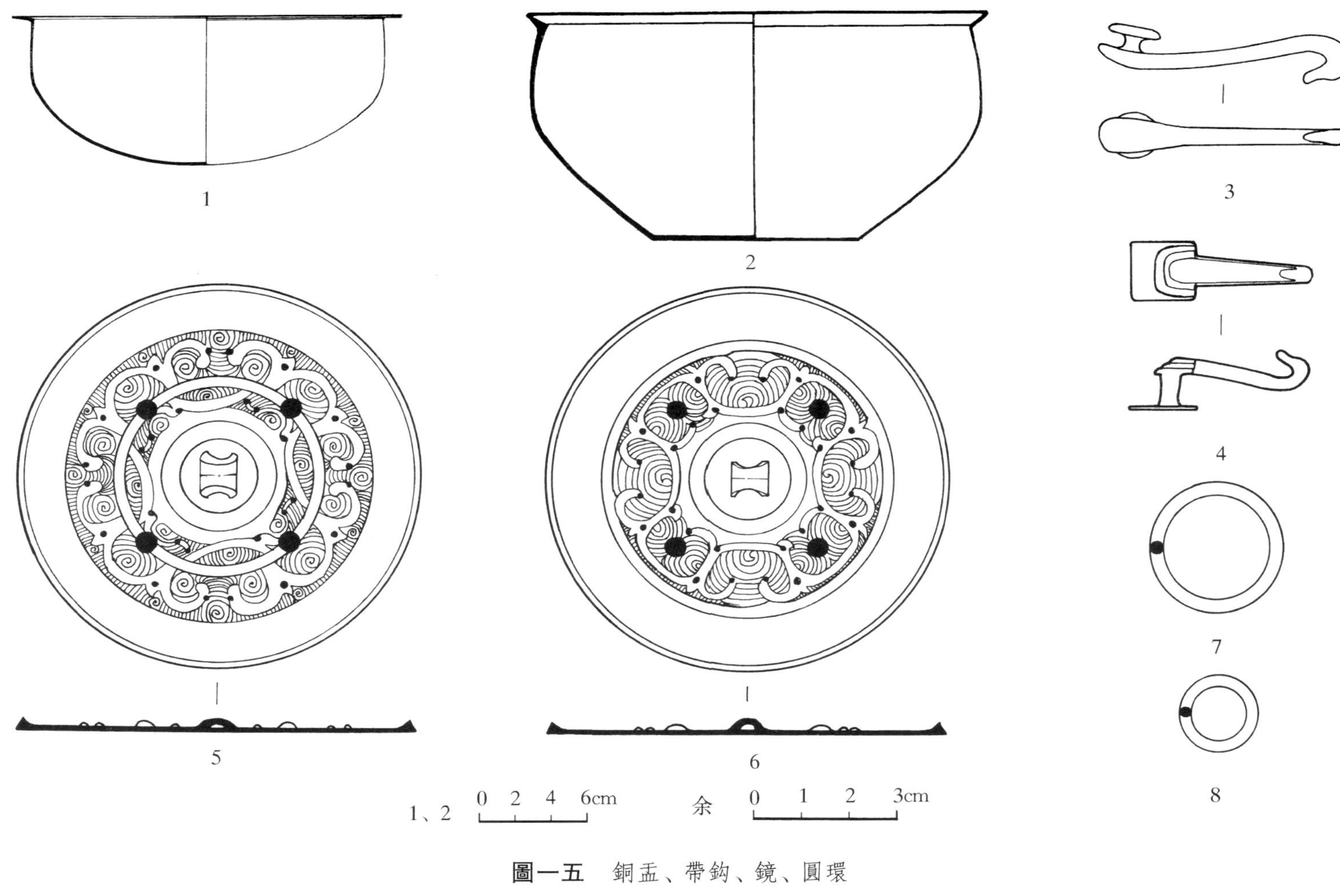

圖一五　銅盂、帶鈎、鏡、圓環

1.Ⅰ式銅盂 M8:28　2.Ⅱ式銅盂 M10:2　3 銅帶鈎 M8:54　4.銅帶鈎 M10:12　5.銅鏡 M14:1　6.銅鏡 M10:15　7.銅圓環 M10:14－1　8.銅圓環 M10:14－2

第三節　漆器

孔家坡墓地有五座墓出土漆器，共計三十九件。出土時，大多數放置於頭廂和邊廂，極少數因爲漂浮的原因，出土於棺底板之下。這批漆器中多數器物保存較差，大多是殘破或腐爛。

這批髹漆器中，有彩繪漆器和髹黑色素面漆器兩種，其胎骨全部是木胎。其中厚木胎多，薄木胎少。

經觀察，這批木胎漆器的工藝製作主要有斫削、挖鑿、旋製和捲製等方法，根據器形的不同，採用的製作方法也不盡相同。例如：斫削、挖鑿、雕刻主要用於耳杯和扁壺；旋製主要用於漆盤和器蓋；捲製主要用於漆奩和漆卮。一般來說，要製作一件成品需要綜合兩種以上的製作工藝才能完成。器物及其構件之間的安裝，所採用的方法主要有鉚接、嵌接和粘接等方法。例如：鉚接主要用於漆扁壺肩上的紐和漆卮的鋬與腹部的連接；嵌接和粘接主要用於卮、奩、盒等器身與器底、器蓋之間的結合，其方法是，首先在器底或器蓋周邊鑿成淺槽，然後在淺槽內和器體的結合處涂上漆液，將其嵌、粘爲整體。

漆器的器表大都髹黑漆，內髹紅漆，也有部分器物內外皆髹黑漆的。外髹黑漆，內髹紅漆的占百分之六十左右，彩繪器的數量也占多數，內外髹黑漆者皆爲素面。

彩繪的繪製方法是在黑漆地上漆繪。彩繪顏色有紅、橘紅、黃和赭色等。主要施於耳杯、卮和漆盤等器物之上。也有極少數器物用油彩繪製，其色彩主要是黃色。但油彩不單獨使用，往往是漆繪爲主，油繪爲輔。漆繪和油繪同施於一器。出土時，油彩紋飾皆已脫落，漆繪則花紋如新，色彩艷麗。

紋飾的種類主要有幾何紋、變形鳳鳥紋和裝飾紋三大類。屬幾何紋的主要有三角雲紋、三角雷紋和三角紋等；裝飾紋主要有渦狀紋、水波紋、圓點、斜點紋、斜綫紋，以及各類「B」形紋等。這些紋飾和符號綫條秀美，相互交融。

部分漆器的外底部烙印或陰刻文字。其製作方法是：首先將文字陰刻或烙印在木胎上，然后再髹漆。烙印文字的較少，僅一件，文字見於巵的外底部。陰刻文字的有八件，文字主要見於耳杯的外底部。烙印的文字模糊不清，難以辨認；陰刻的文字刻痕較深，字跡規整，清晰可辨。這些漆器上的文字大多爲隸書，其文字内容大多爲「任午」、「任」，也有個别爲「庫」字的（表六）。

表六　漆器上的陰刻和烙印文字

器物號	器物名	部位	内容	備注
M8:16	耳杯	外底	任午	陰刻
M8:24	耳杯	外底	任午	陰刻
M8:30	耳杯	外底	任午	陰刻
M8:32	耳杯	外底	任午	陰刻
M8:33	耳杯	外底	任二	陰刻
M8:36	耳杯	外底	任午	陰刻
M8:34	耳杯	外底	任	陰刻
M8:48	耳杯	外底	庫	陰刻
M8:43	巵	外底	（不識）	烙印

這批漆器按用途可分爲耳杯、盤、扁壺等生活用器，漆奩、盒等妝奩器具和木劍等喪葬用器三類。以下按器類分述。

一、耳杯　二十三件。分别出自四座墓葬，其中M8出土最多，爲十三件，出土最少的衹有一件（M16）。下葬時，放置於邊厢和頭厢。出土時，部分耳杯殘破或腐朽，可辨形制者十六件。這些耳杯皆用整塊木頭挖鑿而成。根據其造型的不同與器底變化，可將其大致分爲三式。

Ⅰ式　七件。均出土於M8，胎厚，體大，製作較粗糙。杯口兩端圓弧，呈橢圓形，直口，深腹，弧壁，平底，月牙形雙耳，耳面上翹。器腹内及器表均髹黑漆，腹内髹漆較厚，器表髹漆較薄。出土時，外腹部髹漆大多脱落，暴露出由口沿向底部斫削的刀痕。通體素面。外底陰刻銘文，字跡清晰可辨。標本M8:24，器外底陰刻「任午」二字，口長一八·一、口寬一〇·四、連耳寬一四·三、通高五·六厘米（圖版八—1、2）。標本M8:32，器外底陰刻「任午」。口長一八·四、寬一〇·八、連耳寬一四·六、通高六厘米（圖一六—1，圖版八—3）。標本M8:33，器外底陰刻「任二」。口長一八·六、寬一〇·四、連耳寬一三·八、通高五·七厘米（圖一六—2，圖版八—4）。標本M8:48，器外底陰刻「庫」字，字特大，雕刻較深，刀鋒清晰。口長一八·六、寬一〇·八、連耳寬一五·四、通高六厘米（圖版八—5）。

Ⅱ式　三件。皆出於M8。體形略小，輕薄，製作精細。杯口呈橢圓形，深腹，弧壁，小平底，月牙形雙耳上翹。全器髹漆略厚，器腹内髹紅漆，器表及雙耳髹黑漆。器外壁有斫削的刀痕。器底多無銘文。標本M8:39，口長一九·六、寬一一·八、連耳寬一五·八、通高六·七厘米（圖一六—3，圖版八—6）。標本M8:34，器外底陰刻「任」字。口長一八·五、寬一〇·二、連耳寬一四·一、通高五·八厘米。

Ⅲ式　六件。分别出自M5、M8。底部出有較矮的假圈足，體輕壁薄，口外彩繪紋飾。器呈橢圓形，深腹、弧壁、平底、矮足、彎月形雙耳上翹。器腹内髹紅漆，器表及雙耳髹黑漆。器耳和口沿外有紅色漆繪，耳飾月牙、折綫和點紋組成的裝飾紋樣，然後再用細綫和粗綫框邊；器口沿飾弦紋兩道，弦紋間填折綫和圓點紋；足部飾弦紋一周。標本M8:47，口長一七·二、寬九·六、連耳寬一三·四、通高五·四厘米（圖一七—1，圖版八—7）。

部分漆耳杯的尺寸見表七。

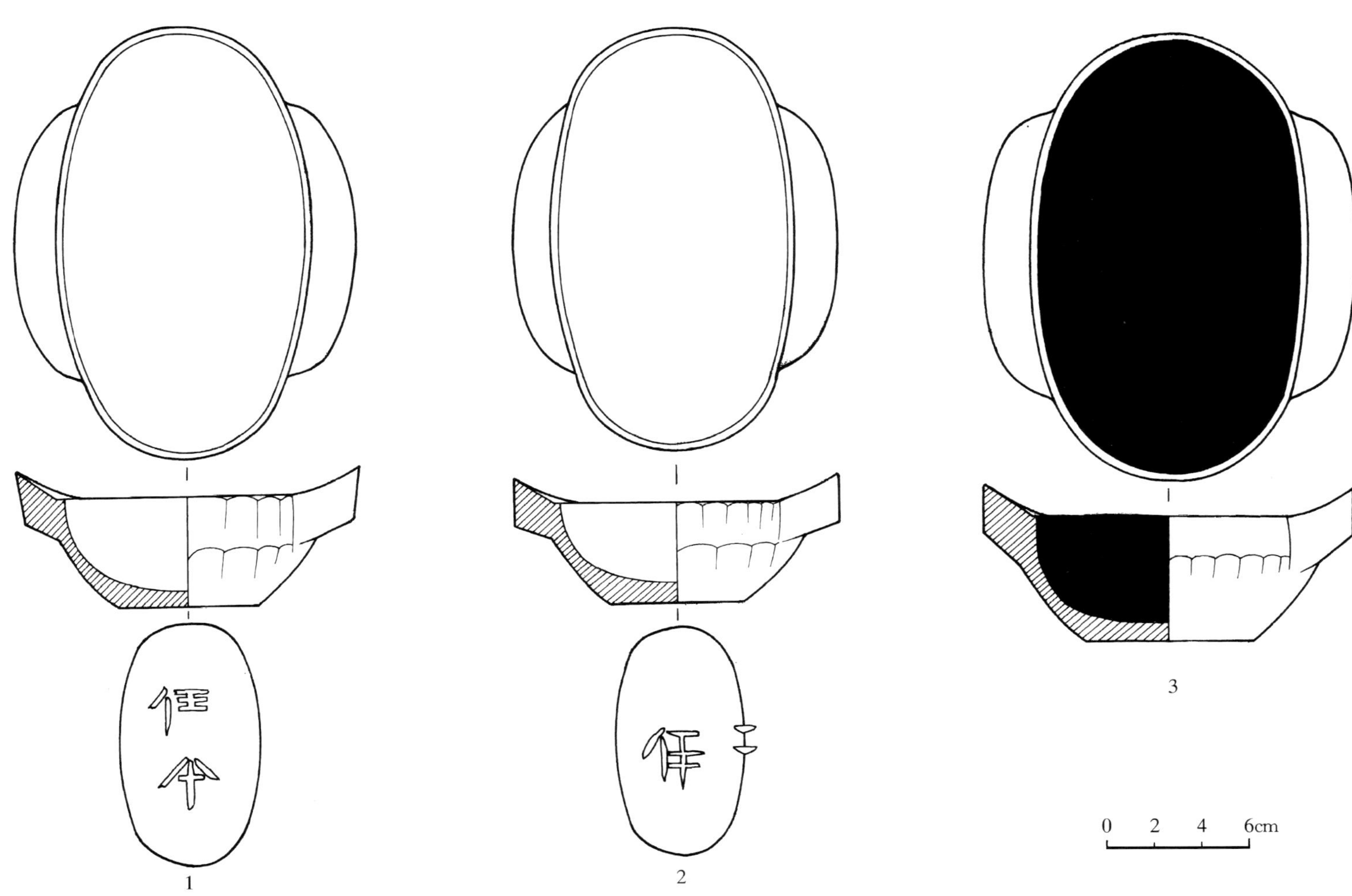

圖一六　漆耳杯

1. Ⅰ式漆耳杯 M8:32　2. Ⅰ式漆耳杯 M8:33　3. Ⅱ式漆耳杯 M8:39

表七　漆耳杯尺寸統計表（單位：厘米）

備注	器底文字	底寬	底長	腹深	唇厚	口寬	口長	連耳寬	通高	墓號	式別	序號
器内外髹黑漆	任午	6	10.6	3.5	0.4	10.1	19	14.7	5.5	M8:16	Ⅰ	1
器内外髹黑漆	任午	6.2	10.2	4.2	0.3	10.4	18.1	14.3	5.6	M8:24		2
器内外髹黑漆	任午	6	11	3.9	0.4	10	18.5	14.4	5.6	M8:30		3
器内外髹黑漆	任午	6.2	11	4	0.4	10.8	18.4	14.6	6	M8:32		4
器内外髹黑漆	任二	5.5	10.5	3.5	0.4	10.4	18.6	13.8	5.7	M8:33		5
器内外髹黑漆	任午	6	11	4	0.4	10.4	18.7	14.6	5.5	M8:36		6
器内外髹黑漆	庫	6	10.4	4.3	0.3	10.8	18.6	15.4	5.6	M8:48		7
腹内施朱漆		6.1	12. 4	3.4	0.4	10.4	18.6	14.2	4.7	M8:26	Ⅱ	8
腹内施朱漆	任	6.2	10.8	4.2	0.4	10.2	18.5	14.1	5.8	M8:34		9
腹内施朱漆		7.2		4.8	0.4	11.8	19.6	15.8	6.7	M8:39		10
有彩繪		6.1	9.5	4.3	0.3	9.8	17.3	14	5.7	M8:31	Ⅲ	11
有彩繪		6.1	10.9	4	0.3	10	17.6	14.1	5.5	M8:35		12
有彩繪		6.2	11	4.2	0.3	9.6	17.2	13.4	5.4	M8:47		13
有彩繪		?	10.3	4	0.4	10	16(殘)	?	5.8	M5:1		14
有彩繪		5.7	11	3.7	0.3	9.7	17.1	13.5	5.3	M5:2		15
有彩繪		5.2	10.3	3.7	0.4	9.5	16.7	12.9	5.3	M5:13		16

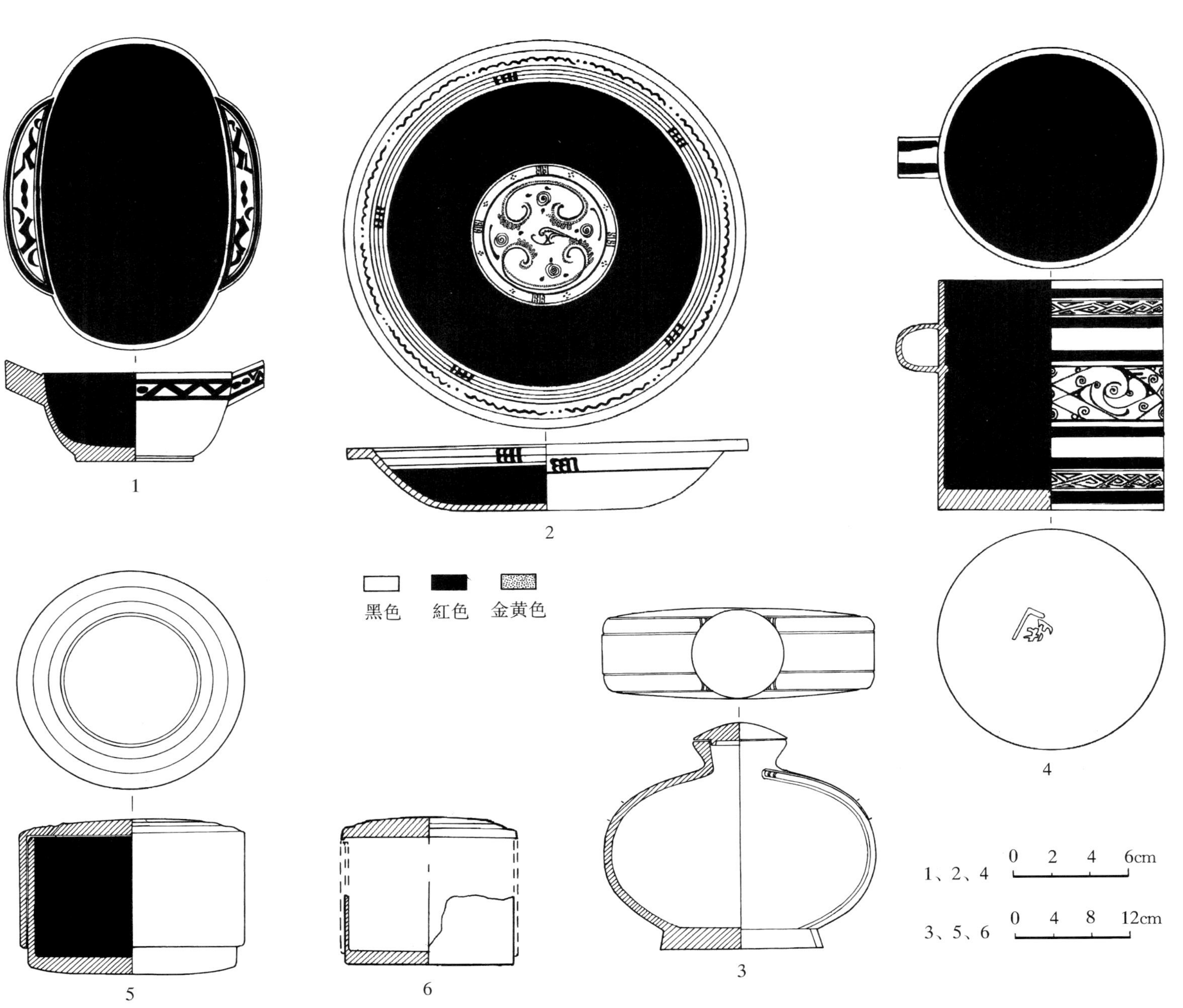

圖一七　漆耳杯、盤、扁壺、卮、奩

1.Ⅲ式漆耳杯 M8:47　2.漆盤 M8:25　3.漆扁壺 M8:8　4.漆卮 M8:43　5.漆奩 M8:45　6.漆奩 M5:10

二、盤　六件。分別出自M3、M8。M8出四件，其中一件稍大，三件略小。M3出二件，皆已腐朽，僅存痕跡。出土時放置於邊廂。盤皆爲木胎，均係整塊木板剜鑿後旋製而成。形制相同，大小有別，敞口，平沿外折，斜壁微弧，淺腹，平底。腹内施紅漆，内底、器口及器外表均髹黑漆，器内底和内外口部用紅色漆繪及金黃油彩彩繪。出土時，紅色漆繪艷麗如新，金黃油彩皆已脱落。標本M8：25，口沿上部飾弦紋、波浪紋、圓點紋帶；口内側飾細弦紋三道和等距離「B」形紋一周五組；内底黑地上飾細弦紋兩周，粗弦紋一周，弦紋間飾「B」形紋和點紋；内底中部飾變形鳥紋、雲紋和點紋；器外壁腹部飾一道細弦紋和一周三組等距離「B」形紋；器外底飾粗弦紋一周。口徑一八·八、腹深三·二、通高三·四厘米（圖一七—2，彩版三—1，圖版九—1）。標本M8：17，形制、紋飾大致與M8：25相同，器形較大。口徑二四·三、腹深四·九、通高六·四厘米（圖一八，彩版三—2，圖版九—2）。

三、扁壺　一件。標本M8：8，下葬時，放置在邊廂内，保存完好。木胎。斫削、挖製，壺體由兩瓣粘合而成，粘合痕跡明顯。圓蓋，蓋頂微弧，隆起，子口。器體橫斷面爲長方形。小圓口外侈，平唇，束頸，廣肩，扁腹，長方形假圈足外撇，兩側腹面微凸。腹飾凹弦紋一道，側腹部飾凹弦紋二道。兩側肩部原應有雙紐，出土時留有斷痕。全器内外髹黑漆，光素無彩。口徑六、腹徑二八·四、腹深二〇、底長一六·八、底寬八·八、壁厚〇·八、通蓋高二四·四厘米（圖一七—3，圖版九—3）。

四、卮　一件。標本M8:43，下葬時放置在頭廂，保存一般。木胎。器底斫削成形後與捲製的器身粘合。敞口，圓唇，深直腹，圓筒形，厚平底，腹側有一環形把穿透腹壁，在內壁形成兩處凸起。器外底烙印一字。器腹內髹紅漆，器表以黑漆爲地，上用朱漆彩繪，腹部上下兩端均有由弦紋、三角紋和三角雷紋組成的花紋帶各一周，腹中部爲由弦紋、捲雲紋、圓圈紋和星點紋組成的紋帶。口徑一一·九、壁厚〇·四、腹深一一·二、通高一二·四厘米（圖一七—4，彩版三—3，圖版九—4）。

五、奩　五件。分別出於四座墓葬。下葬時，一般放置於頭廂。其中一件保存完好，兩件殘破，兩件腐朽無法取出。均爲木胎，奩蓋、底皆用整塊厚木塊分別斫削成形，壁用薄木片捲製成形，然後將蓋、底分別與壁粘接成一器。圓形，全器由蓋和身套合而成，蓋略矮於器身，筒形，蓋頂微隆起，接近邊緣有凹弦紋一周，蓋身直壁，與器身套合，身爲筒形，直口，直壁，平底。器內髹紅漆、外髹黑漆。全器光素。標本M8:45，蓋口徑二三·四、身口徑二一·五、通蓋高一六·八厘米（圖一七—5，彩版三—4，圖版九—5）。標本M5:10，蓋徑一八·二、底徑一七·六、器身殘高七·六厘米（圖一七—6）。

六、盒　一件。標本M8:37，出土時，蓋、身套合在一起，放置於頭廂，保存完好。木胎。蓋、底均用整塊厚木斫削而成，器壁則用整塊薄木片捲製成形，分別與蓋、底粘接。長方橢圓形，全器由盒蓋與盒身套合爲一器，蓋身直壁，頂邊緣呈階梯狀分三級突起，頂中部微隆，略矮於器身；器身爲直口，直壁，內底平，外底微弧近平。腹內髹紅漆，外髹黑漆。通體光素。蓋長二五·四、寬一二·四、身長二四、寬一一、通蓋高一一·四厘米（圖一九—1，彩版三—5，圖版九—6）。

七、器蓋　一件。標本M3:3，木胎。圓形，頂隆起，平底。通體髹黑漆，素面。

八、劍　一件。標本M8:50，出土時，放置在頭廂。劍身略彎，保存完好。木胎，全器係用一完整木棒斫削而成。劍鞘合一。劍鞘鋒端平齊，劍首斷面作橢圓形，劍柄扁圓並用編織的絲帶纏繞，絲帶兩端均壓在被纏繞的劍柄之內。劍背面近格處有一塊鑲嵌的長方形灰白玉璏，璏側面有一長方形穿孔，正面飾小方格紋。劍體髹黑漆。素面。劍身長六二·二、寬三·六、柄長二一·八、格寬一、通長八五·五厘米。璏長八·四、寬二·二、孔長二·八、寬〇·五厘米（圖一九—2，彩版四—1）。

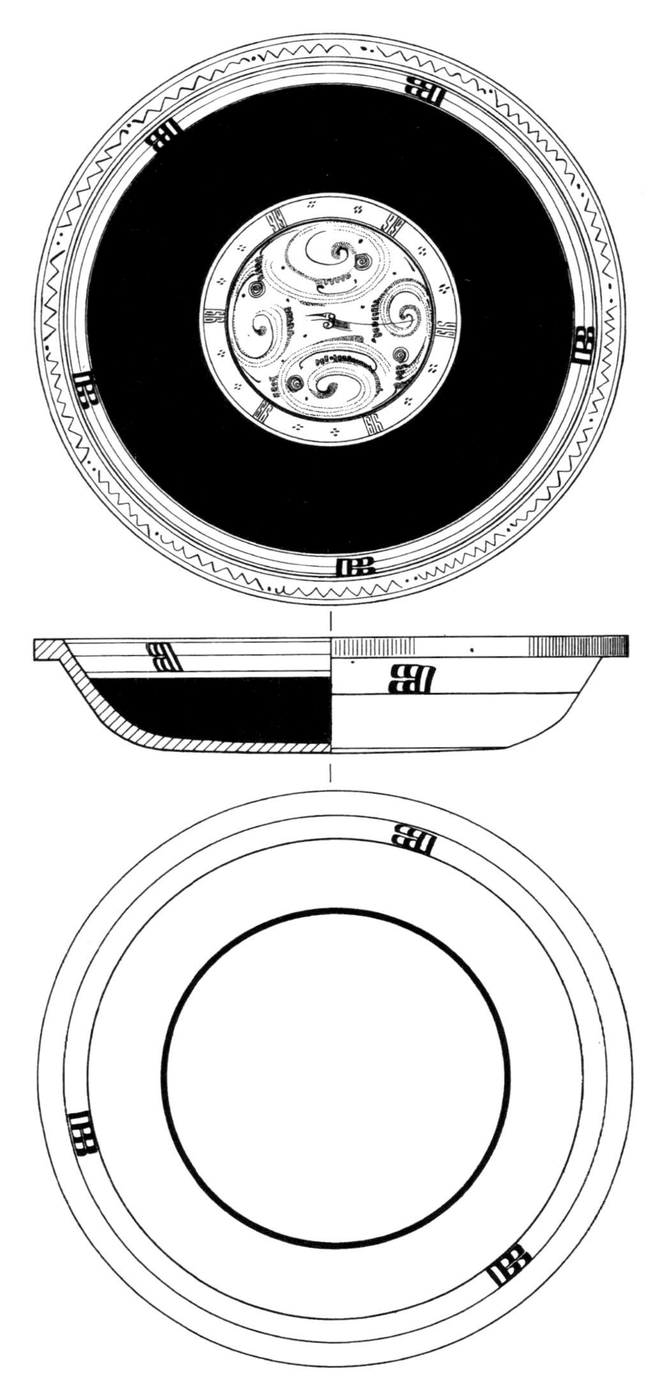

圖一八　漆盤 M8:17

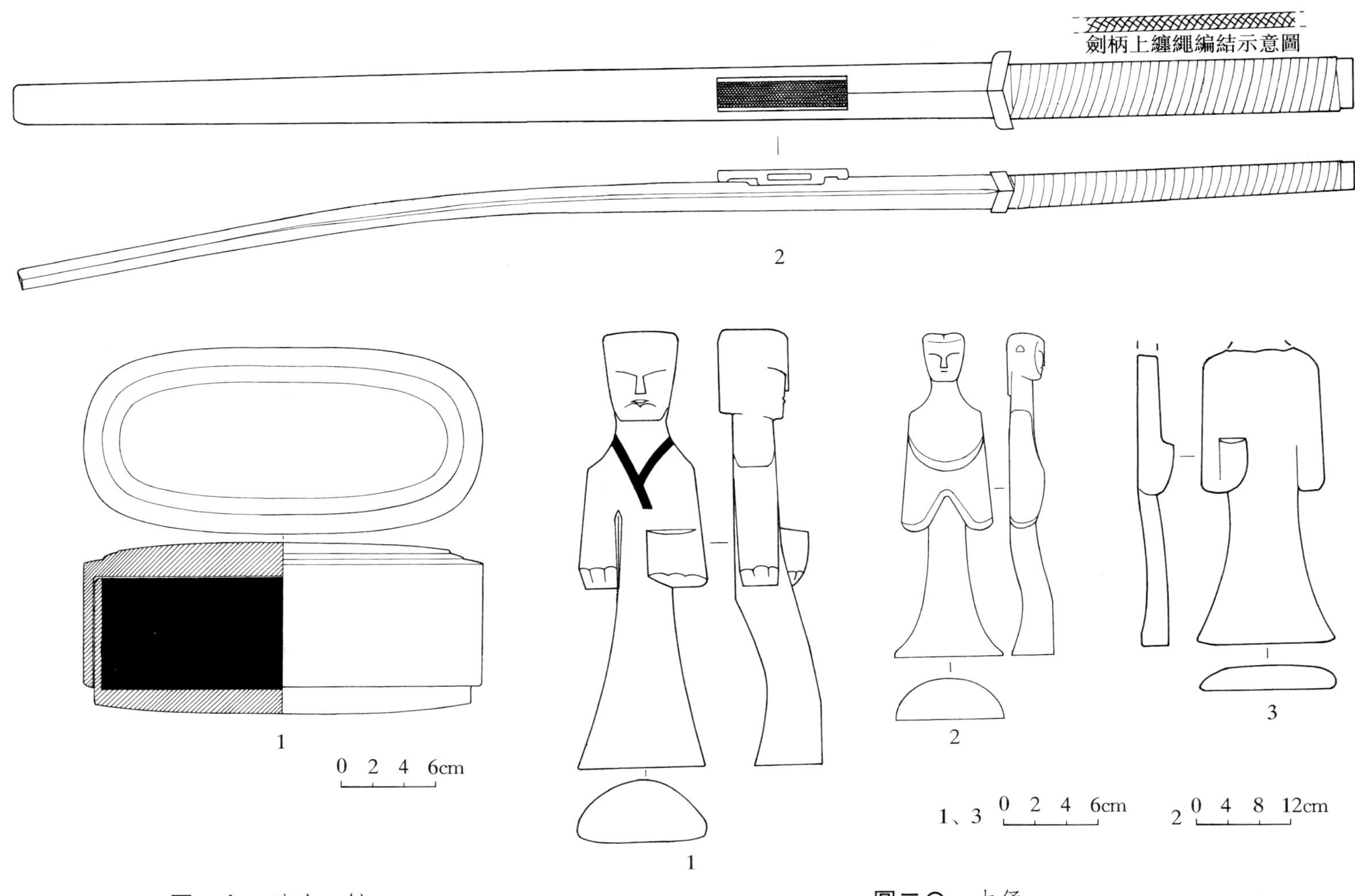

圖一九 漆盒、劍
1. 漆劍 M8:50 2. 漆盒 M8:37

圖二〇 木俑
1. M8:18 2. M8:38 3. M5:11

第四節 木器

祇有二座墓葬出土木器，共計二十九件。出土時，大多數放置於邊厢，極少數出土於頭厢。保存極差，出土時，百分之九十的器物殘破或腐朽，保存完好者極少。

這批木器胎質均爲木胎，製作方法主要是斫削、挖鑿和雕刻。根據器形的需要則採用的方法各異。例如木俑、木馬、木梳、木篦等器主要運用斫削和雕刻法，木勺和木几則需要運用挖鑿法。根據這批木器的製作方法看，一件器物一般需要二種製作方法才能完成。

大部分木器爲素面，部分器表塗墨爲地，上有朱色彩繪。彩繪紋飾簡單，色調單一。由於保存極差，出土時絶大部分器物彩繪脱落，僅見少數器表上殘留有朱色痕跡。紋飾的種類極少，主要紋樣有弦紋、雲紋、水波紋和點紋等。

木器器類有木俑、木馬、木矛、木傘等喪葬用器，木梳、木篦等梳妝器具，木几、木器蓋、木勺等生活用器和木璧形器、木珠、木墜、木板等雜器。以下按器類叙述。

一、俑 八件。分别出土於二座墓，其中M8出土六件。均出土於頭厢和邊厢，部分木俑位置可能有過漂移。出土時，完好的一件，殘損的五件，腐爛僅存殘片的二件。皆用整木所斫削、雕刻而成。均爲立姿，耳、鼻、眼、嘴、手均雕刻成形，身軀修長。標本M8:18，上體扁圓，有臂無手，下體微曲呈半圓柱體，身着長袍及地，右臂下垂，左手曲置於胸前，面目清秀勻稱。出土時，通體塗墨，可見朱色交領右衽。通高二八・八厘米（圖二〇—1，圖版一〇—1）。標本M8:38，身着廣袖上衣，下着喇叭形長袍，雙腿微曲而立，雙手攏在袖中置於胸前。方臉，耳、鼻、眼、嘴雕刻成形，頭髮中分，雕刻成髮際垂至腦後肩部。出土時，朱色彩繪脱盡，僅見斑點殘跡。通高四二・八厘米（圖二〇—2，圖版一〇—2）。標本M5:11，係用整塊厚木板斫削而成，上肢扁平，下肢微曲，左手下垂，右手曲置於胸前，身着長袍及地。出土時，頭部殘。殘高一九・二厘米（圖二〇—3）。標本M5:9，下肢修長，雙手下垂，身着長袍及地。出土時，上肢殘斷。通體塗墨，朱色彩繪脱落。殘高二〇厘米（圖二一—1）。

部分木俑的尺寸見表八。

表八　木俑尺寸統計表　（單位：厘米）

標本號	通高	頭長	肩寬	身寬	腿寬	足寬	髮長	備注
M8:9	45	7.5	9.5	13	5.6	15		殘（攏手）
M8:18	28.8	5.8	6.8	8.2	4.3	8.2		完整（左手上置）
M8:38	42.8	6	8.6	11.5	5.3	13.8	9	殘（攏手）
M8:40	43	6.4	8.4	10.5	4.5	16	8.8	殘（右手上置）
M5:9	20	?	?	?	2.8	8.4		殘（雙手下垂）
M5:11	19.2	?	7.4	7.8	1.6	8.8		殘（左手下垂，右手曲置於胸前）

二、馬　三件。皆殘。均爲M8出土。下葬時，放置於邊厢。頭、身、腿、尾分别斫削、雕刻而成，然後粘合爲一體。馬昂首，翹尾，呈站立狀。雙眼圓滚，鼻孔粗壯，馬嘴微張。造型逼真、栩栩如生。出土時，周身塗墨爲地，隱約可見馬首上有朱繪「絡頭」，馬身上朱繪革帶、鞁具。標本M8:11，通高四八·四厘米（圖二一—2，圖版一〇—3）。

三、傘　一件。標本M8:27，出土時已殘。傘帽、柄爲木質，蓋弓爲竹。斫削、挖鑿而成。全器由傘帽、傘柄和十六根蓋弓組成。傘帽作圓盤狀，弧頂微凸，周邊鑿有十六等距離長方形卯眼。卯眼長〇·五、寬〇·四、深〇·五厘米。帽與柄用一根完整的木棒斫削而成，柄爲圓柱形，周身塗墨；蓋弓由細竹製成，截面是橢圓形。出土時，蓋弓缺四根。傘柄殘長二五、蓋弓長一二厘米（圖二一—3）。

四、矛　一件。標本M8:55，殘斷爲四節。木質。係整木斫削而成。體扁圓，鋒扁平細尖，柄端扁圓略粗。出土時通體塗墨。素面。通長一二三·八厘米（圖二一—4，圖版一一—1）。

五、梳　二件。分别出自M5、M8。出土時，均放置於頭厢。皆爲木質。器呈馬蹄形，厚背。標本M8:53，保存完好。齒口整齊，邊齒平直，除兩根邊齒外，共有九根齒。通體光素。長七·六、齒口寬五·二、背厚一·六厘米（圖二二—1，圖版一一—2）。標本M5:22，齒殘，除兩根邊齒外，共有十三根齒。寬四·七、背厚一·一、殘長三·三厘米（圖二二—2）。

六、篦　二件。分别出自M5、M8。出土時，放置於頭厢。皆爲木質。馬蹄形，厚背，標本M8:57，保存完好。齒口平齊，篦齒均匀細密，除兩邊齒外，有齒四十一根。通體光素。長七·六、寬五·一、背厚一·一厘米（圖二二—3，圖版一一—3）。標本M5:8，齒殘。除兩邊齒外，有齒五十七根。殘長五·七、寬四·九、背厚一·二厘米（圖二二—4）。

七、几　一件。標本M8:44，下葬時，放置於頭厢，保存較差。木質。几身用一整塊木板斫削而成。几面兩端窄而厚，中間寬而薄，俯視平面中間弧出，兩端弧收，側視几面中間略凹，兩端稍高；几下一端一足，足下有足座，足兩端作子榫，分别插入几身兩端的方孔和足座的母榫之內。足正面中央微凸呈長方形，

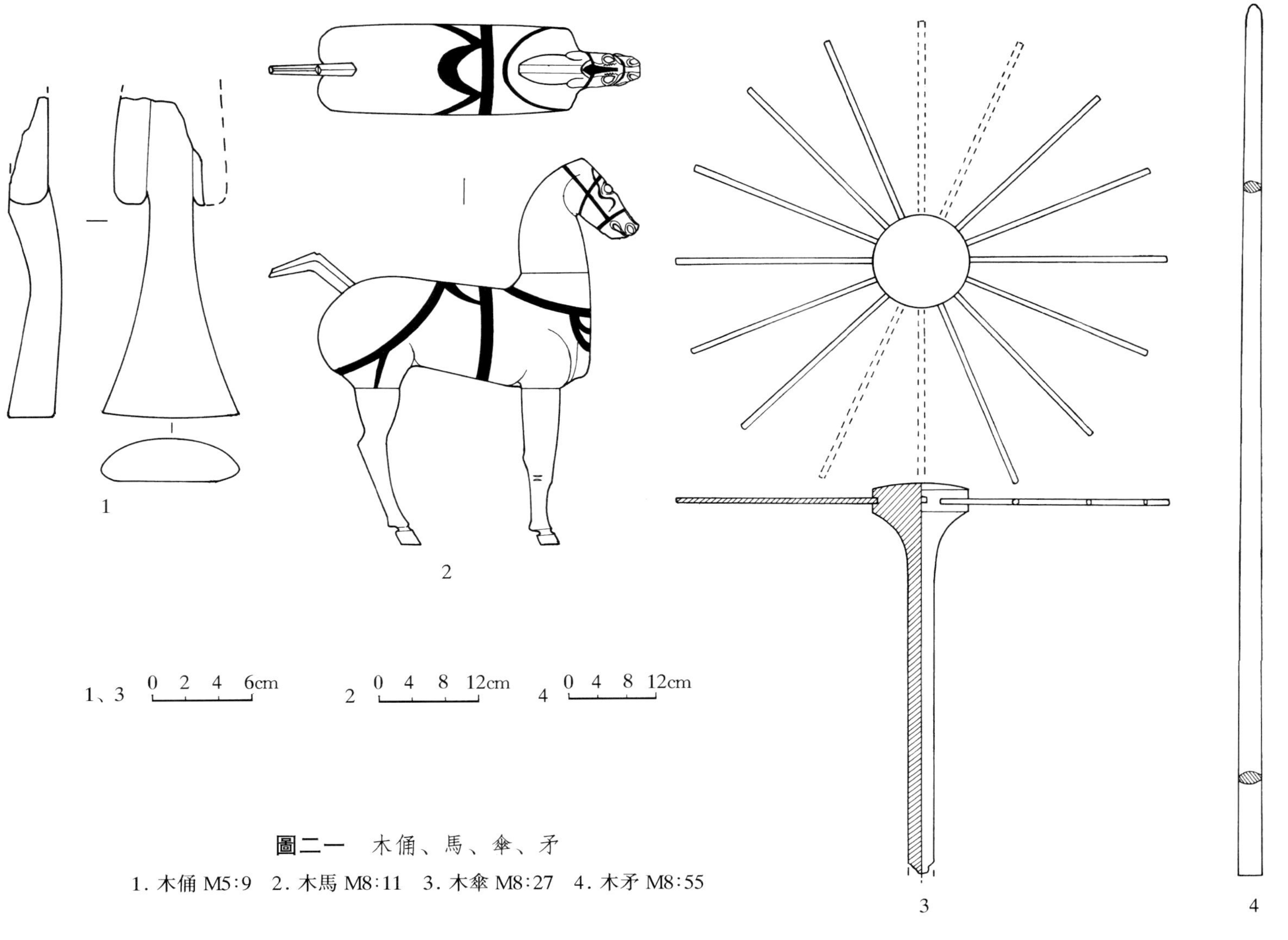

圖二一　木俑、馬、傘、矛

1.木俑 M5:9　2.木馬 M8:11　3.木傘 M8:27　4.木矛 M8:55

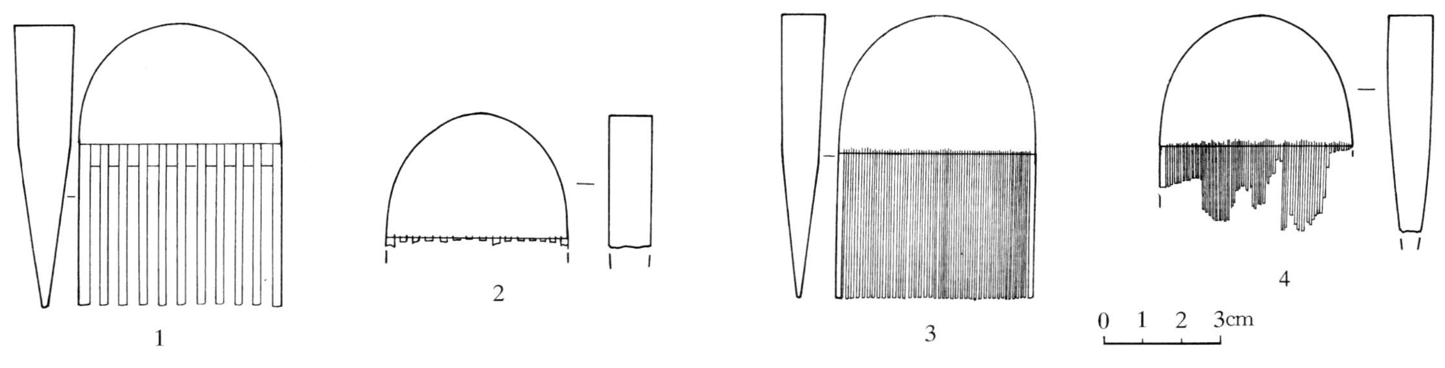

圖二二　木梳、篦

1.木梳 M8:53　2.木梳 M5:22　3.木篦 M8:57　4.木篦 M5:8

足座呈「山」字形。素面。兩端寬四・八至五・二、厚四、中間寬一五・二、厚二、長五五・六、高一七・二厘米（圖二三—1，圖版一一—4）。

八、器蓋　三件。分別出自M5、M8。木質。斫削而成。圓形，平底，蓋頂隆起。標本M5：3，大平頂，蓋緣坡斜。器表塗墨爲地，緣飾朱色弦紋兩周，弦紋間填波曲綫紋，頂部弦紋間填等距離「|||」紋五組，中央飾雲紋，間填梅花點紋。直徑二三・六、沿厚〇・九、高二厘米（圖二三—3，圖版一一—5）。標本M8：14，蓋頂圓弧。塗墨爲地，蓋頂邊緣有朱繪波曲綫紋一周，頂部中央飾雲紋間填梅花點紋。直徑二五・二、沿厚一・八、高四厘米（圖二三—4，圖版一一—6）。標本M8：41，小平頂，蓋緣坡斜，蓋底有子口。素面。直徑一三、沿厚〇・九、高三厘米（圖二三—2）。

九、勺　二件。分別出自M5、M8。放置於邊厢。保存一般。木質。斫削，挖鑿而成。勺身俯視呈橢圓形，淺腹，弧底，直柄，柄尾端下折，通體光素。標本M8：15，勺長九・六、

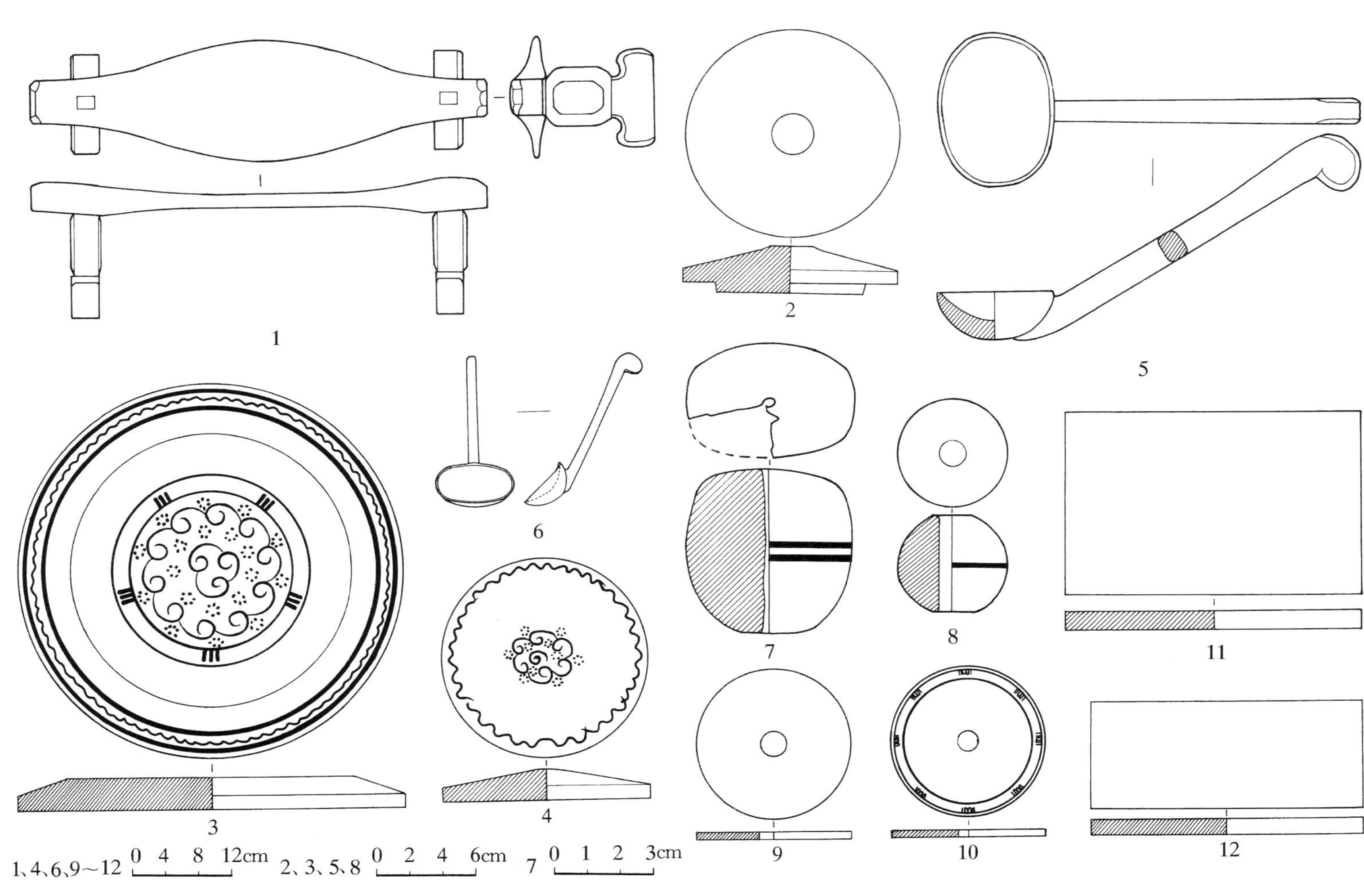

圖二三　木几、勺、器蓋、珠、璧形器、板

1. 木几 M8:44　2. 木器蓋 M8:41　3. 木器蓋 M5:3　4. 木器蓋 M8:14　5. 木勺 M8:15　6. 木勺 M5:14　7. 木珠 M5:7　8. 木珠 M8:49　9. 木璧形器 M8:42　10. 木璧形器 M5:4　11. 木板 M5:18　12. 木板 M8:52

寬七、深一·八、通長二七厘米（圖二三—5）。標本M5:14，勺長九·五、寬五、深一·二、通長二二·六厘米（圖二三—6）。

十、珠　二件。出土於M5、M8。放置於頭厢。木質。斫削而成。圓球形，形狀不甚規則，球中央有一穿孔。標本M5:7，中部隱約可見有朱繪弦紋二周。通高五·一，寬五·一、厚三·五、孔徑○·二厘米（圖二三—7）。標本M8:49，中部飾朱色彩繪一周。直徑六·八、孔徑一·六厘米（圖二三—8，圖版一二—1）。

十一、璧形器　二件。分别出自M5、M8。皆出土於頭厢。木質。爲兩整塊木板斫削而成。器呈圓形，中央有一圓形穿孔，其形如璧，肉大於好，兩面皆平。出土時，木紋清晰。標本M8:42，直徑一八·八、厚一、孔徑三·二厘米（圖二三—9，圖版一二—2）。標本M5:4，出土時，其中一面殘留朱色彩繪，可辨認出邊緣飾弦紋二周，兩弦紋間朱繪等距離「B」形紋八組。另一面光素。直徑一八·八、厚一、孔徑二·四厘米（圖二三—10，圖版一二—3）。

十二、板　二件。分别出土於M5、M8。出土時，皆放置於頭厢。木質。均係整塊木板斫削而成。器呈長方形，完整，木紋清晰。通體光素。標本M5:18，長三六、寬二三、厚二·四厘米（圖二三—11，圖版一二—4）。標本M8:52，長三三·二、寬一三·五、厚二厘米（圖二三—12，圖版一二—5）。

第五節　竹簡與木牘

一、竹簡　竹簡二組，出土於M8槨室頭箱位置的兩側，由於墓坑早年積水淤泥，出土時，竹簡混於墓葬淤泥之中，保存狀況略差。兩組竹簡出土時各集中爲堆狀，按照兩組竹簡的内容，可分爲《日書》簡（彩版五、六、七）和《曆日》簡（彩版八）。

《日書》簡　一組（M8:58），出土於槨室頭厢東北角（參見圖六，彩版一一—2）。出土時共存殘絹片，推測原來竹簡有絹包裹。大致呈卷狀，基本保持了下葬時的原貌，當係一册（圖二四）。經清理，共登記竹簡七百餘枚，包括一部分有字殘片及無字殘簡。整簡大致等齊，基本長度爲三三·八厘米，寬度○·七至○·

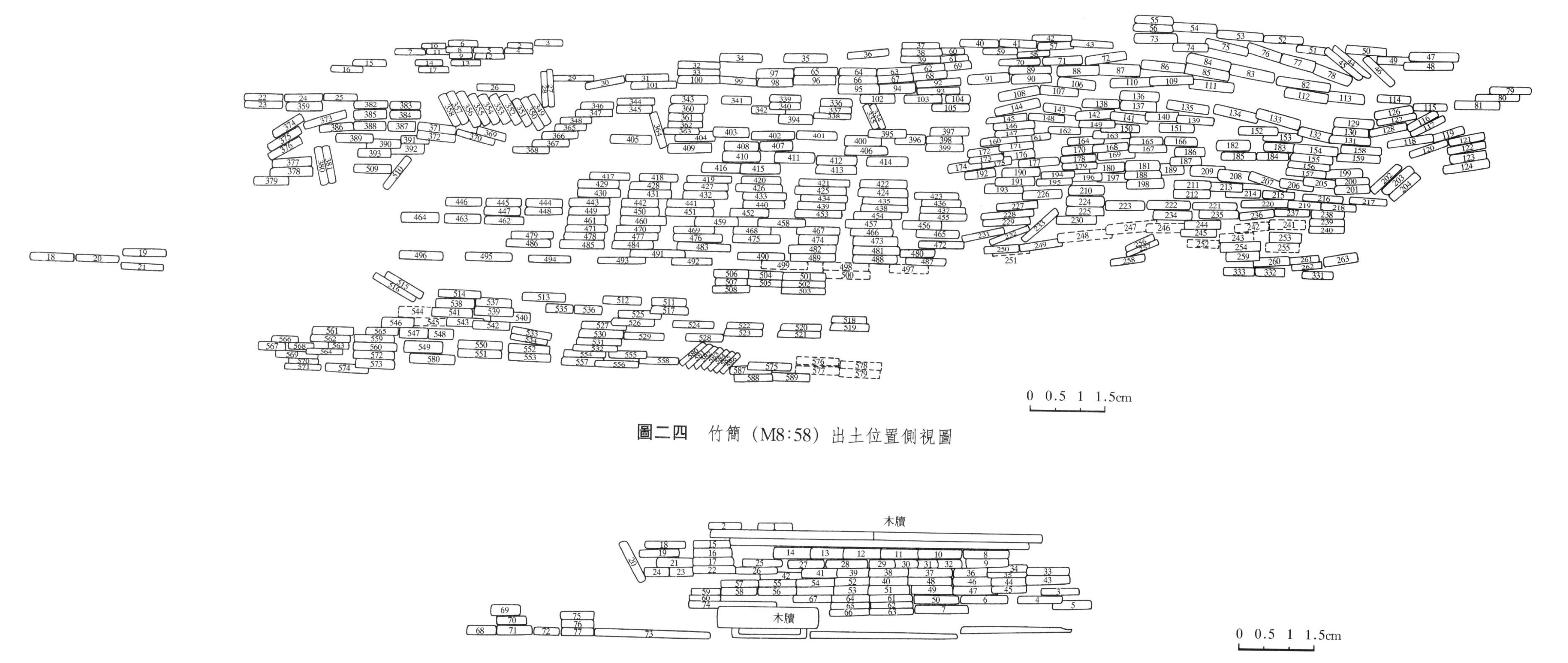

圖二四　竹簡（M8:58）出土位置側視圖

圖二五　竹簡（M8:56）出土位置側視圖

八厘米不等，厚約〇·一厘米。竹簡的兩端平直不削角。

簡册的編繩已朽斷，部分簡上還剩留有絲質編繩。整册簡的上部竹簡多數因繩斷順卷面向兩側滑落散開。部分簡已殘斷或損失。簡册以三道編繩編聯，每道編繩一般都在簡上纏繞一圈，並依靠簡右側特備的契口繫牢。每支簡上一般有三個契口，均鍥刻於簡的右側篾黄一面，一般不破篾青一面。最上一處契口距離簡的頭端一般在二厘米左右，最下一處契口距離簡的尾端一般在二·三厘米左右，中間一處契口大致在簡的正中，距離簡的頭端一般在一六·五厘米左右。

簡文均用黑墨抄寫在簡的篾黄一面，書寫工整。字體爲隸書。簡文有插圖，亦用黑墨作畫。簡文在書寫時使用了一些標示符號，主要是「●」、「—」、「·」三種。前兩種用作篇題號，後一種一般用作句逗號。關於簡策編聯與簡文書寫的先後順序問題，我們注意到，多數簡的編繩所過之處都不容字，但也有部分簡在契口處的文字被編繩從中覆壓，如二一九號簡下契口處的「在」；三六〇號簡中契口處的「疾」；七六號簡中契口處的「子」；四八四號簡中契口處的「死」。這些字在揭開其上覆壓的編繩後現露出自然流暢的筆畫，不像是在先編繩後再行書寫。我們推測簡策編聯是在簡文大體書寫完後實施的。簡文在書寫時行至契口處一般都有意空開，這是參照利用了簡上先行做好的契口來避免文字被將來用作編聯的編繩覆壓。估計在契口處被編繩從中覆壓的文字是行文時疏忽所致。儘管如此，我們仍然不能排除有部分簡文是在編聯好後抄寫的可能。

據竹簡的出土狀況及竹簡的整理情況，此簡策是從左向右收捲，即末簡在卷之内心，首簡在卷之最外一層的頭端。

《曆日》簡　一組（M8:56），出土於 M8 槨室頭厢西部（參見圖六，彩版一—3）。出土時已散落，混於墓泥之中，零亂無序（圖二五）。整理時，部分簡已殘斷，清理編號共計竹簡七十八枚，整簡基本長度爲二六·八厘米，寬度〇·五至〇·六厘米不等，厚約〇·一厘米。竹簡的兩端平直不削角。

有的簡上剩留有絲質編繩。簡策編聯情況與《日書》簡相類。最上一處契口

距離簡的頭端一般在一·八厘米左右，最下一處契口距離簡的尾端一般在二厘米左右，中間一處契口大致在簡的正中，距離簡的頭端一般在一三·五厘米左右。簡文均用黑墨抄寫在簡的篾黄一面，字體爲隸書。經綴合，竹簡爲六十枚，係爲一册。

另外，與《曆日》簡同出有無字竹簡，共有七支（其中完整者五支），整簡基本長度爲二二·五厘米，寬度約〇·七厘米，厚約〇·一厘米。竹簡的兩端平直不削角。七支短簡没有製作契口，没有編繩痕跡，亦没有文字。

二、木牘　木牘二組，出土於 M8 頭厢西部，出土時與 M8:56 竹簡放置在一起。共四方，其中一枚有墨書，另三枚無字。

《告地書》　一枚（M8:51），出土於 M8:56 竹簡下部。木牘四邊平直，上、下兩端修平，爲長方狀，長二三·四、寬四·七、厚一·五厘米（彩版四—2）。木牘兩面均用黑墨書寫有文字。字體爲隸書。牘文四處使用「乚」標示號。

無字木牘　三枚，出土於 M8:56 竹簡上部。木牘四邊平直，均爲長方狀，最寬的一塊長二三·三、寬五·七、厚一·五厘米。次寬的一塊長二二·九、寬四·一、厚一·五厘米。最窄的一塊長二三·一、寬三·五、厚一·五厘米。三塊木牘上、下兩面修平，没有書寫文字。

第六節　其他

一、鐵釜　一件。標本 M14:4，出土時已殘朽。敞口、束頸、圓腹、平底。腹徑約二二、殘高約二四厘米。

二、葫蘆瓢　一件。標本 M8:46，出土時殘碎。

三、竹片　三根。標本 M5:17，出土時殘碎。

四、殘木器　一件。標本 M8:20，出土時僅存一小殘片，其中一面塗墨。

五、殘絹片　三片。出土時附於竹簡（M8:58）上，黑色，每平方厘米經緯綫爲 17×19（根）。

第四章　結　語

第一節　年代與特徵

孔家坡墓地十五座土坑墓葬，有六座墓葬隨葬品受到擾亂，其中M2已被擾亂一空，根據隨棗地區漢墓在東漢時期普遍使用磚室的特徵，可推定該墓年代爲西漢。M1、M6、M11、M13、M15器物組合不全，殘存隨葬品數量較少，比照其他墓葬年代，這幾座墓葬也基本可確定爲西漢時期墓葬。

根據墓地的一組疊壓和打破關係：M8打破M15和M16，可知這批墓葬的年代早晚不同。又M8出土有紀年文字和曆日，爲墓葬年代的確定提供了可靠的資料。這裏對各墓葬的年代分析的方法是：通過對各個隨葬品（陶器）保存完整的墓葬所出隨葬品組合及其變化，結合墓葬打破關係，分析出隨葬品早晚變化順序，以此推斷出各個墓葬所屬的年代階段，再以M8的年代爲標尺，確定其他各階段墓葬年代。

一、墓葬的分期與年代

孔家坡墓地隨葬品質地有陶器、銅器、漆器與木器四類，出土漆器與木器的墓葬五座，其中M3、M10、M16器形已朽不可辨，M5、M8出土漆木器器形接近，無法進行年代排序。出青銅器的墓葬三座，有相同器類能够進行對比分析的器物組合均衹有兩座，也沒有分期排隊的價值。因此，可參加分期排隊的衹有隨葬陶器組合齊全的九座墓葬M3、M4、M5、M7、M8、M10、M12、M14和M16。

以上九座墓葬陶器組合主要包含有三類器類：①鼎、盒、壺或鼎、鈁、壺等禮器；②甕、雙耳罐的日用陶器；③模型明器竈。這三種器類在各個墓葬中基本上都有出土，他們的組合情況可歸結如表九：

表九　陶器組合表

分組	墓葬	禮器							日用器		模型明器		其他
		鼎		盒		鈁	壺		甕	罐	竈		
		A	B	A	C		A	B			A	B	
1	M16			Ⅰ			Ⅰ		✓	✓	Ⅰ		
2	M3	✓		✓		✓			✓				
	M5		Ⅰ	Ⅱ		✓			✓	✓			
	M8		Ⅰ	Ⅱ		✓			Ⅱ	✓	Ⅰ		
3	M4	Ⅱ			✓		Ⅲ		✓	✓			
	M12	Ⅱ		Ⅱ				✓			✓		杯
	M14	Ⅱ		Ⅲ				✓			Ⅱ		
	M7		Ⅱ	Ⅲ			Ⅱ		Ⅰ	✓		✓	
	M10		Ⅱ	Ⅱ、Ⅲ			Ⅱ		✓		Ⅱ		鉢

從表中各個墓葬的陶器組合及各個器類的型式變化，可將九座墓葬陶器組合歸納爲三組，其中第一組墓葬一座；第二組二座墓葬器物組合完全相同，另一座墓葬陶禮器組合與同組墓葬一致；第三組墓葬器物型式有交叉現象，但與其他兩組器物組合差别較大。三組之間陶器組合及器物型式的區别明顯，其器物型式的變化是由早及晚年代不同的反映，各組之間這一變化應是體現出不同的發展階段，據此，我們將三組陶器所在的墓葬分爲相對應的三期。

第一期：僅一座墓葬（M16）。器物組合爲鼎A型Ⅰ式，盒A型Ⅰ式，壺A型Ⅰ式，甕，罐，竈A型Ⅰ式。

第二期：基本組合爲鼎、盒、鈁陶禮器或加日用器和明器。其型式爲鼎B型Ⅰ式，盒A型Ⅱ式，鈁，甕Ⅱ式，罐，竈A型Ⅰ式。

第三期：基本組合爲鼎、盒、壺陶禮器加日用器和模型明器。陶禮器組合型式爲鼎A型Ⅱ式，盒A型Ⅱ、Ⅲ式，壺A型Ⅲ式、B型；或爲鼎B型Ⅱ式，盒A型Ⅱ、Ⅲ式，壺A型Ⅱ式。

以上三期墓葬中第二期M8出土有紀年材料，如果可以確定M8具體年代，並以此爲標尺，再通過對比其他地區有較明確年代的墓葬材料，來推定第一期、第三期墓葬年代。

M8出土紀年材料有二：M8：51木牘記有告地書：「二年正月壬子朔甲辰，都鄉燕佐戎敢言之……。正月壬子，桃侯國丞萬移地下丞……」此類告地書過去或稱告地策，江陵、長沙多有出土，現在可以確定，「二年正月壬子朔甲辰」應是墓葬的下葬年代。按照干支記日法，甲辰在壬子日之後的第五十三天，因此朔日爲壬子的月份不可能會有甲辰這一日，此處記述明顯有誤，考慮到下文言「正月壬子」，故簡文「二年正月壬子朔甲辰」當是「二年正月甲辰朔壬子」之誤。查漢武帝前朔閏表〔一〕，簡文所云朔日與漢景帝後元二年吻合。另一紀年材料是M8：56曆日竹簡，共六十枚，係爲一册同年曆日，曆日本身没有帝王紀年，單靠朔日難以惟一確定其年份，但曆日同時提供了月朔干支和節氣（冬至）干支這兩個條件，可以惟一確定其年份爲漢景帝後元二年，正月甲辰朔，實冬至在癸卯十四時二十一分〔二〕，曆日冬至在十月三十日甲辰，與實冬至僅一日之差；曆日所列十二個月的朔日干支，與漢初曆表中景帝後元二年的所有朔日干支也完全相合。

因此，M8年代可訂爲漢景帝後元二年即公元前一四二年。M8所在的第二期墓葬的年代也應屬于這一時期。

與湖北其他地區文景時期墓葬相比，第二期墓葬隨葬品有許多相同的時代特徵。例如以鼎、鈁、盒爲組合的陶禮器在湖北地區西漢墓雖不常見，但雲夢大墳頭M2〔三〕、丹江口水牛坡M8〔四〕、蘄春茅草山墓地和鱖魚嘴墓地〔五〕等相同陶器組合墓葬年代均在文景時期，江陵張家山M336出有陶鈁，墓葬年代在漢文帝前元七年或稍後〔六〕。本期墓葬中陶器鼎、鈁、盒的形制與雲夢大墳頭M2同類器雷同，竈與雲夢大墳頭M3竈相同，M8銅盂與江陵鳳凰山M168銅鋗相同〔七〕，漆器造型、紋飾風格亦與江陵地區同類器近似。

第二期墓葬年代的確定，爲第一、三期墓葬年代提供了直接的依據。從隨葬陶器觀察，第一至三期部分隨葬陶器器形變化不大，如第一、三期均使用鼎、壺、盒陶禮器組合，日用器器類、器形均較接近，均使用形制接近的船形陶竈等，由此説明三期之間年代差異不大，第一、三期年代應距文景時期不遠。

第一期墓葬出陶竈，時代不早於西漢時期，A型Ⅰ式壺鼓腹不顯著，是西漢時期較早的特徵，器形與蘄春草鞋山M9：9壺相同〔八〕。本期墓葬年代應在西漢初期。

第三期墓葬具有較多西漢早期風格，如鼎、壺、盒成套陶禮器的延用，繼續使用船形陶竈，未見西漢中晚期常見的倉、井，器類中陶杯在江陵地區常見於西漢時期最早的兩個階段〔九〕等等。較晚的時代特徵如陶鼎出現平底寬淺腹，與蘄春鱖魚咀墓地M27：8鼎相同，本期陶壺腹鼓而扁，壺肩部的鋪首蜕化，器形接近於谷城過山墓地M4：7壺〔一〇〕。因此，本期墓葬年代推定在西漢武帝時期較爲合適，或不排除個别墓葬年代接近第二期屬於文景時期。

二、文化特徵

孔家坡墓地與隨州過去發現的西漢時期墓葬特徵一致[一一]，小型墓葬均爲土坑竪穴墓，不設墓道和封土，墓葬葬具多使用一棺一槨的形式，隨葬品一般放在棺槨之間的側面或頭部。隨葬品以陶器爲主，銅器數量較少，西漢早期漆木器的數量應當較多。陶器組合中鼎、壺（鈁）、盒陶禮器組合的使用最爲突出，在墓地隨葬品未經擾亂的墓葬中，均使用這一組合形式，而日用器、模型明器的組合並不固定。日用器中雙耳罐、甕常出。在器形上，鼎、壺器蓋均不帶器紐。使用彩繪裝飾的陶器數量較多。

孔家坡墓地文化特徵與相鄰的襄樊地區西漢墓較爲近似。兩地墓葬陶器組合均重陶禮器的使用，西漢前期墓葬如隨葬禮器則鼎、壺、盒組合齊全，這一習俗直至西漢中晚期仍然常見[一二]。在器類上，雙耳罐均常見，此類器在東周時期即流行於鄂北、鄂東北地區，具有較强的地方特徵；模型明器船形竈流行時間較長，稍晚出現方形竈，但不見曲尺形竈，井、倉的出現時間普遍較晚。

鼎、壺（鈁）、盒等陶禮器占主導地位的情況在湖北地區的影響直至鄂東地區如羅州城漢墓[一三]，其淵源則來自於中原地區，與鄂北相鄰的南陽地區漢墓亦常見鼎、壺（鈁）、盒組合[一四]，該地區流行的人面形鼎足也見於襄樊地區漢墓和孔家坡漢墓，不過該地區普遍使用銅錢和銅鏡隨葬又表現出與湖北地區漢墓的不同。

與江陵地區西漢前期墓葬相比，孔家坡墓地漢墓表現出較多的差異。江陵地區漢墓中不出陶禮器，或者在多數墓葬中陶禮器組合不全；日用陶器中小口甕、罐常見，模型明器中倉出現的時間較早。器形上，鼎、壺等帶蓋器多有紐，曲尺形陶竈較爲流行。漆器的類别與孔家坡墓地接近，但紋飾風格略有差異，特别是有一定數量的寫實性動物紋樣和鍼刻紋飾，這可能説明江陵地區漆器與孔家坡墓地漆器産地有所不同。

從文化因素角度分析，孔家坡墓地隨葬品有這樣幾種情況。一類是以鼎、盒、壺爲主的陶禮器組合，這些器物流行於戰國晚期楚墓之中，具有一定的楚文化因素，但其形制如鼎作矮足扁圓腹，與楚器相去甚遠，實際上這組器物屬融入楚文化因素的西漢文化。第二類是陶鈁、陶杯以及銅蟠虺紋鏡等類器，器類與器形與戰國晚期楚文化器類似，是楚文化因素在本地區的繼續延續。第三類陶雙耳罐，這種器類在東周時期爲鄂北地區常見，西漢時期仍在這一地區廣爲流行，相鄰地區所見數量較少，較明顯帶有本地傳統文化因素。第四類是陶竈、陶甕以及漆木器，器類與形制均爲西漢時期開始流行，與本地及楚文化因素没有淵源關係。因此，孔家坡墓地雖然所見隨葬品類别與數量不多，但仍包含有西漢文化、楚文化、本地文化等不同文化因素，其中漢、楚文化及其融合的形式占有主導地位，相對於曾經是楚文化中心區域的江陵地區而言，孔家坡墓地所反映的楚文化因素似乎更爲濃厚，這是值得注意的一個現象。

三、墓主身份等級推測

墓葬墓主的身份等級與墓葬墓坑、棺槨的大小結構以及隨葬品的種類、數量相關，孔家坡墓地墓葬一般都帶有葬具，隨葬品多數有兩套陶禮器組合，墓地没有帶封土、墓道的大型墓葬，也没有無葬具、無隨葬品的最低級别墓葬，總的看來，各墓葬墓主身份等級差别不大，對照湖北地區相關墓葬材料可知，孔家坡墓地墓主身份多爲低級官吏和中小地主[一五]。

墓地規模略大的墓葬墓底長在三至四米之間，葬具原來應有一棺一槨，隨葬品均出有兩套陶禮器，有的墓葬同出漆器或少量銅器，這類墓葬以 M8 爲代表，其墓葬規模及隨葬品比江陵高臺 M18、鳳凰山 M10[一六]規格稍高，鳳凰山 M10 墓主爲「五大夫張偃」，可能是入粟受爵的地主或商人。孔家坡 M8 木牘記有「庫嗇夫辟」，當爲墓主，M8:48 耳杯刻銘「庫」，似爲「庫嗇夫」的省文，「庫嗇夫」是秦漢時期縣級屬下管理物資及製造的小官[一七]，因此 M8 墓主地位也應略高於鳳凰山 M10 墓主。孔家坡墓地其他墓葬墓地長度不足三米，隨葬品多爲陶器一類，且數量較少，墓葬級别低於鳳凰山M10，墓主身份可能爲中小地主或平民。

第二節　簡牘出土的幾點收穫

孔家坡M8出土了一册《日書》、一册《曆日》和一方《告地書》，年代都不會晚于西漢景帝後元二年，其中《日書》抄寫成書的時間可以肯定在西漢時期。這些在南方楚故地出土的文字資料無疑是我國秦漢社會歷史研究重要的原始史料。

孔家坡《日書》出土狀況良好，是繼雲夢睡虎地秦簡《日書》之後，有關《日書》一系數術文獻的又一次重要發現。這册《日書》抄寫篇目較多，内容豐富。是西漢《日書》的代表之作。目前已見報道的幾批《日書》的一些篇目在孔家坡《日書》抄本中都能見到，有的不僅文字雷同，甚至篇式也基本相同。如睡虎地秦簡《日書》的「艮山禹離日」篇，放馬灘秦簡《日書》的「禹須臾行日」及「禹須臾所以見人日」。這反映出秦漢兩代《日書》的緊密聯繫。

孔家坡漢簡《日書》與睡虎地秦簡《日書》抄本内容接近，就目前所見《日書》一系數術文獻來説，它們基本上比較客觀反映了各自時期的這類文獻的學術面貌。比較睡虎地秦簡《日書》，孔家坡漢簡《日書》有如下幾個特點：

一、文本結構清晰，層次分明

睡虎地秦簡《日書》篇幅較大，篇目也不少，但各項材料抄寫組織得不够嚴密，顯得有些散亂，在抄寫上存在一定的隨意性。孔家坡漢簡《日書》雖同樣也存在這方面的狀況，但有較大的改進。我們看孔家坡漢簡《日書》，層次、條理都不太紊亂，特别是同類篇目相輯抄寫的特徵十分突出，有助於探討《日書》一系數術文獻的成書機理和思想基礎。

二、相同篇目的内容闡述詳備

睡虎地秦簡《日書》有的篇目十分重要，但不太好理解。孔家坡漢簡《日書》顯得較通俗易懂，似乎對《日書》做了一些類似「解經」的工作。如此次出土的孔家坡《日書》中的「星官」、「死失圖」，睡虎地秦簡《日書》裏也都抄録有相類似的篇目。「星官」篇主要涉及二十八宿的宜忌，該篇在一部分星宿項下有「司某」的説明文字，如：司定、司家、司不、司棄、司命等。這是睡虎地秦簡《日書》所没有的。這一説明文字的增入爲認識該篇二十八宿的内涵提供了明確的綫索。「死失圖」附有一段解釋圖理及運作方法的説明文字，在睡虎地秦簡《日書》裏，「死失圖」的説明文字不僅簡單，而且抄寫位置現在看來並不太恰當，以至對其内容長期無法理解。孔家坡漢簡《日書》的出土將有助於理解這些篇目的文義及運作原理。

三、增録了爲數不少的插圖和侯年占項篇目。

出現在《日書》中的插圖是我們解讀一些數術思想及原理的重要資料。孔家坡《日書》的插圖不少，爲我們展現了一份圖文並茂的《日書》。其中「日廷」圖、「土功」圖對相關數術原理的認識都是十分重要的。侯年占項體現了對農事采時的注重，可能是當時社會生産生活實際需要的一定反映。

孔家坡漢簡《日書》中的部分内容在《淮南子》、《論衡》等文獻裏都有所反映，可以用作文獻校勘。《日書》還在一定程度上對漢代社會制度有所反映。在這一點上，孔家坡漢簡《日書》與睡虎地秦簡《日書》没有太大差異。

墓中出土的《曆日》係西漢景帝後元二年，即公元前一四二年曆日。《曆日》記全年十二個月之月朔及月大小；記冬至、立春、夏至三節氣，還注有出種；記臘、初伏、中伏二祀。這册《曆日》使用六十支簡編排一年曆日，樣式簡潔，結構獨到，爲以往出土《曆日》所未見。該《曆日》不僅爲墓葬斷代提供了可靠證據，同時，它也是系統研究秦漢曆法的重要參考資料。

《告地書》是一類爲安置死者而比照地上社會實際通行公文模擬的虚假文書。在以往漢墓裏已發現出土多次。這次出土的《告地書》字跡較爲清晰，從中我們知道墓主名「辟」，是「桃」侯國都鄉的庫嗇夫。《告地書》言「桃侯國丞萬告地下丞」，這個地下丞的管轄範圍應不出地上桃侯國之境域。地下丞是專管死者的冥府鬼吏，因此，墓主葬地應在當時的桃侯國境内，也就是説今隨州一帶，景帝後期應有一桃侯國。但傳世文獻裏尚找不到今隨州一帶在景帝後期置有桃侯國的記載。《告地書》的出土似乎可以補傳世文獻之失載。當然，這還有待其他相關資料的印證。這件《告地書》對隨葬的奴婢、車馬作了特別的强調，對我們瞭解當時的名籍制度有所幫助。

〔一〕陳美東：《古曆新探》，第五三五頁，遼寧教育出版社，一九九五年。

〔二〕張培瑜：《三千五百年曆日天象》，第九一四頁，大象出版社，一九九七年。

〔三〕湖北省博物館：《一九七八年雲夢秦漢墓發掘報告》，《考古學報》一九八六年第四期。

〔四〕湖北省博物館等：《丹江口市肖川戰國兩漢墓葬》，《江漢考古》一九八八年第四期。

〔五〕黄岡市博物館等：《羅州城與漢墓》，科學出版社，二〇〇〇年。

〔六〕荆州地區博物館：《江陵張家山兩座漢墓出土大批竹簡》，《文物》，一九九二年第九期。

〔七〕湖北省文物考古研究所：《江陵鳳凰山一六八號漢墓》，《考古學報》一九九三年第四期。

〔八〕黄岡市博物館等：《羅州城與漢墓》，科學出版社，二〇〇〇年。

〔九〕湖北省荆州博物館：《荆州高臺秦漢墓》，科學出版社，二〇〇〇年。

〔一〇〕湖北省文物考古研究所等：《谷城過山戰國西漢墓葬》，《江漢考古》一九九〇年第三期。

〔一一〕隨州市博物館：《湖北隨州市城北西漢墓》，《文物》一九八九年第八期。

〔一二〕襄樊市考古隊：《襄樊彭崗漢墓群發掘簡報》，《江漢考古》二〇〇〇年第二期。襄樊市考古隊：《襄樊團山卞營墓地第二次發掘》，《江漢考古》二〇〇〇年第二期。

〔一三〕黄岡市博物館等：《羅州城與漢墓》，科學出版社，二〇〇〇年。

〔一四〕南陽市古代建築保護研究所：《南陽市煙草專賣局春秋、西漢墓葬的發掘》，《華夏考古》一九九九年第三期。

〔一五〕陳振裕：《湖北西漢墓初析》，《文博》一九八八年第二期。

〔一六〕長江流域第二期文物考古工作人員培訓班：《湖北江陵鳳凰山西漢墓發掘簡報》，《文物》一九七四年第四期。

〔一七〕裘錫圭：《嗇夫初探》，《古代文史研究新探》，江蘇古籍出版社，一九九二年。

附表一 孔家坡墓地墓葬登記表

（單位：米）

墓號	方向（度）	墓葬形制	保存情況		墓口	墓底	填土	槨	棺	葬具保存情況
			墓口	墓底	長×寬－深	長×寬－深	灰褐土	長×寬＋高	長×寬＋高	
1	？		✓	✓	？	150×160－150	黄褐土		？	棺槨無存
2	？		✓	✓	？	？×1.8－2.4	灰白土		？	僅存槨殘痕
3	190		✓	✓	3.4×2.4－40	3.3×2.3－2.5	灰褐土	2.84×1.3＋？	2.00×7.00＋0.66	槨殘
4	20	土坑木槨	✓	✓	（東）1.9×2.35－0.28 （西）1.4×2.35－0.28	（東）1.9×2.3－1.7 （西）1.6×2.3－1.7	灰白土	2.4×1.3＋？	？	僅存槨痕
5	25	土坑木槨		✓	（東）1.7×1.95－0.7 （西）2.1×1.95－0.7	3.1×1.85－3.1	青灰土	2.7×1.46＋0.75（殘）	2.14×70＋？	槨、棺均殘
6	200	土　坑	✓	✓	2.5×（南）0.09－0.45 2.5×（北）0.2－0.45	2.2×（南）1.0－0.94 2.2×（北）0.5－0.94	黄褐土	？	？	槨、棺無存
7	190	土坑木槨	✓	✓	（南）2.6×1.75－0.44 （北）1.5×1.75－0.44	（南）2.35×1.3－1.0 （北）1.2×1.3－1.0	黄褐土	2.2×1.29＋？	？	僅見槨痕
8	18	土坑木槨			（東）3.86×2.6－0.75 （西）2.1×2.6－0.75	3.76×2.5×3.83		2.92×1.66＋1.18	2.08×0.76＋0.66	槨、棺蓋板保存不好
9							黄褐土			
10	115	土坑木槨		✓	2.75×（東）1.65－0.55 2.75×（西）1.6－0.55	2.63×1.5×2.55	黄褐土		2.25×0.7＋？	棺、槨無存
11	285	土　坑	✓	✓	2×（東）0.62－0.25 2×（西）1.40－0.25	1.9×（東）0.6－0.92 1.9×（西）1.32－0.92	黄褐土	？	？	槨、棺無存
12	295	土坑木槨	✓	✓	3.7×（東）0.55－0.90 3.7×（西）1.70－0.90	3.36×（東）1.4－2.2 3.36×（西）1.54－2.2	灰褐土	？	？	僅存少許槨底板
13	120	土　坑	✓	✓	1.9×1.55－0.50	1.8×1.4－0.6	灰褐土	？	？	不見槨、棺痕迹
14	296	土　坑	✓	✓	（南）1.74×2.25－0.32 （北）1.00×2.25－0.32	2.2×1.2－2.25	灰褐土夾黄斑	？	？	棺下殘留漆皮
15	15	土坑木槨	✓	✓	（東）1.8×1.4－0.5 （西）1.8×1.4－0.5	（東）1.75×1.35－0.9 （西）1.05×1.35－0.9	黄褐土	1.37×1.2＋？	？	棺痕無存
16	12	土坑木槨			3.15×2.00－0.58	2.94×1.8－1.98		2.5×1.16＋？	2.02×0.61＋？	僅見槨、棺殘痕

說明：「✓」表示殘。

附表二　孔家坡墓地隨葬品登記表

單位：件(組)

備　注	隨　葬　品	段別	墓　號
✓	陶器：鼎 BⅢ、壺 AⅡ、甕、釜		M1
✓			M2
	陶器：鼎、盒、鈁、甕 漆器：盤 2、奩、器蓋	2	M3
	陶器：鼎 AⅡ2、盒 C2、壺 AⅢ、壺、甕、雙耳罐	3	M4
	陶器：鼎 BⅠ2、盒 AⅡ2、鈁 2、甕、雙耳罐 漆器：耳杯 3、Ⅲ3、奩 木器：俑 2、梳、篦、勺、器蓋、珠、璧形器、板 其他：竹片	2	M5
✓	陶器：雙耳罐		M6
	陶器：鼎 BⅡ2、盒 AⅢ2、壺 AⅡ2、甕Ⅰ、雙耳罐、竈 B	3	M7
	陶器：鼎 BⅠ2、盒 AⅡ2、鈁 2、甕Ⅱ、雙耳罐、竈 AⅠ 銅器：盂Ⅰ、帶鈎 漆器：耳杯 4、Ⅰ3、Ⅱ3、Ⅲ3、盤 4、盒、扁壺、奩、卮、劍 木器：俑 6、馬 3、傘、矛、梳、篦、几、勺、器蓋 2、珠、璧形器、板 其他：竹簡 2、木櫝 2、葫蘆瓢	2	M8
	陶器：鼎 BⅡ2、盒 AⅡ、AⅢ、壺 AⅡ2、甕、竈 AⅡ、鉢 銅器：盂Ⅱ、鏡、帶鈎 2、環 2 漆器：耳杯 3	3	M10
✓	陶器：鼎 C、盒 B、壺、雙耳罐		M11
	陶器：鼎 AⅡ2、盒 AⅡ2、壺 B2、杯 2、竈	3	M12
✓	陶器：甑		M13
	陶器：鼎 AⅡ2、盒 AⅢ2、壺 B2、竈 AⅡ 銅器：鏡	3	M14
✓	甕、竈		M15
	陶器：鼎 AⅠ2、盒 AⅠ2、壺 AⅠ2、甕、雙耳罐、竈 AⅠ 漆器：耳杯、奩 2	1	M16

說明：✓表示器物受到擾亂。

1. 孔家坡墓地外景（由西向東）

2. 竹簡 M8：58 出土情況

3. 木牘 M8：59 和竹簡 M8：56 出土情況

彩版一　孔家坡墓地外景及簡牘出土情況

1.B 型Ⅰ式陶鼎 M8：12

2.A 型Ⅱ式陶盒 M8：22

3. 陶盒蓋内菜籽特寫 M8：22

4. 陶鈁 M8：5

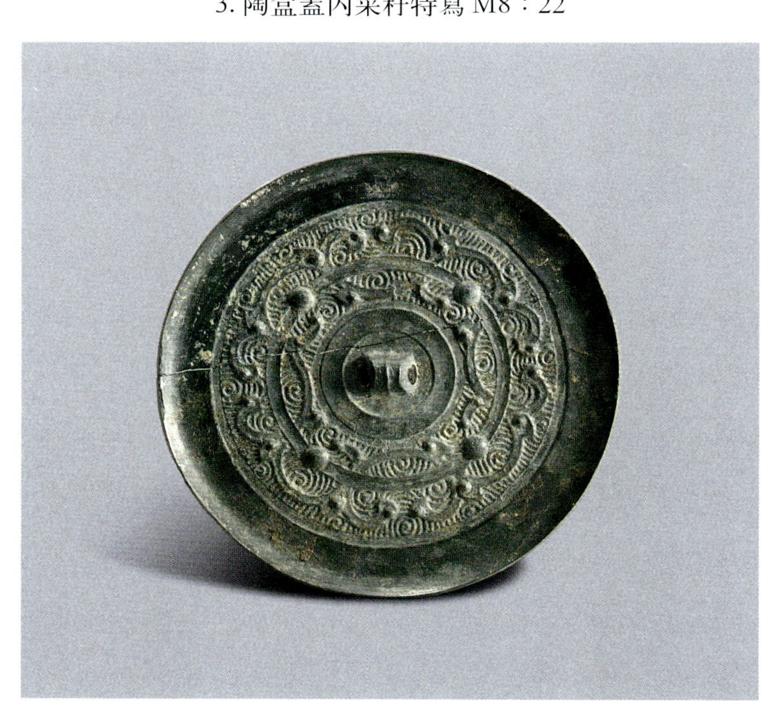

5. 銅鏡 M14：1

彩版二　陶鼎、盒、鈁、銅鏡

1. 漆盘 M8：25

2. 漆盘 M8：17

3. 漆卮 M8：43

4. 漆奁 M8：45

5. 漆盒 M8：37

彩版三　漆盘、卮、奁、盒

2. 木牘 M8：59

1. 漆劍 M8：50

彩版四　漆劍、木牘

彩版五　竹簡（《日書》歲篇）

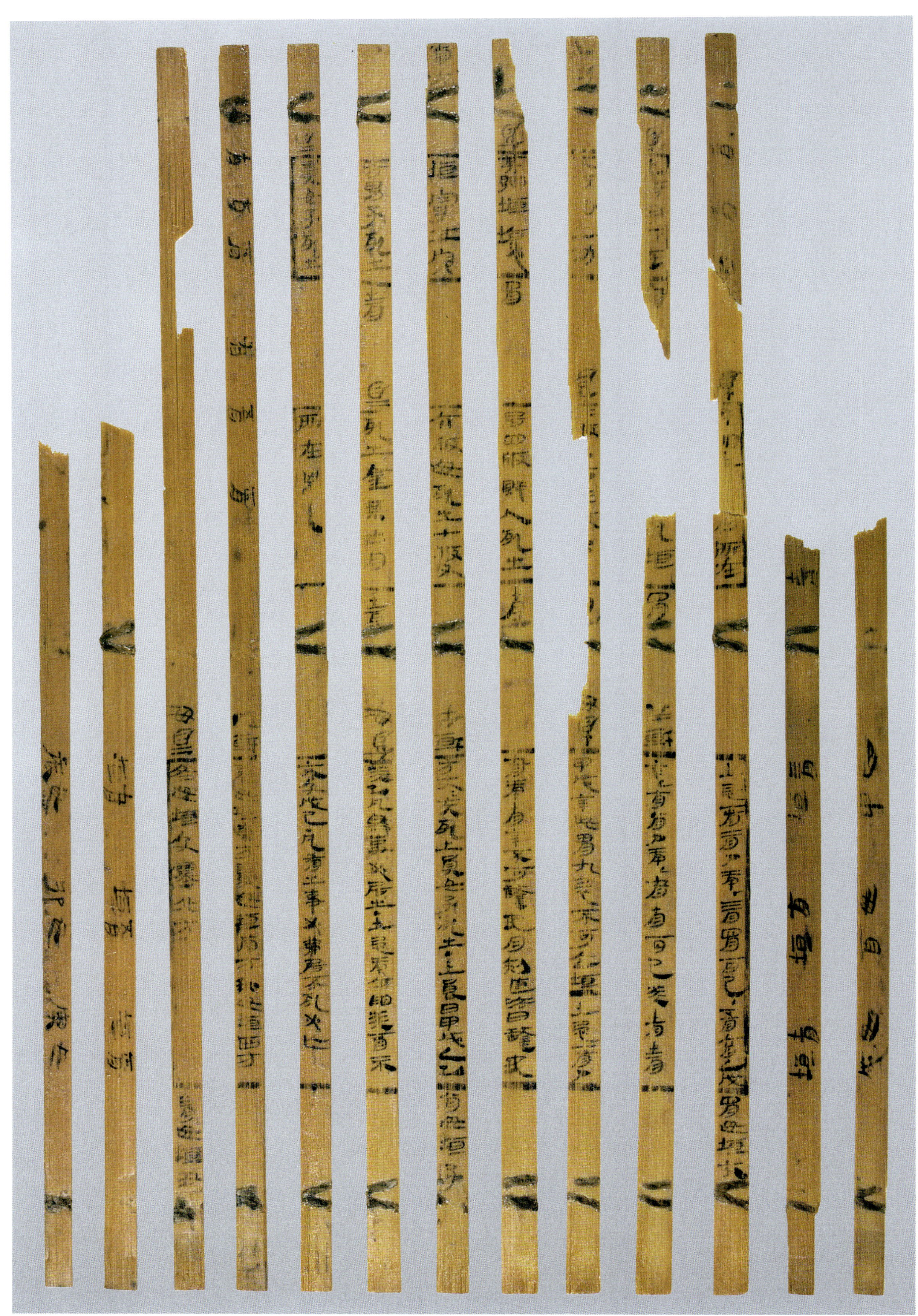

彩版六　竹簡（《日書》土功篇）

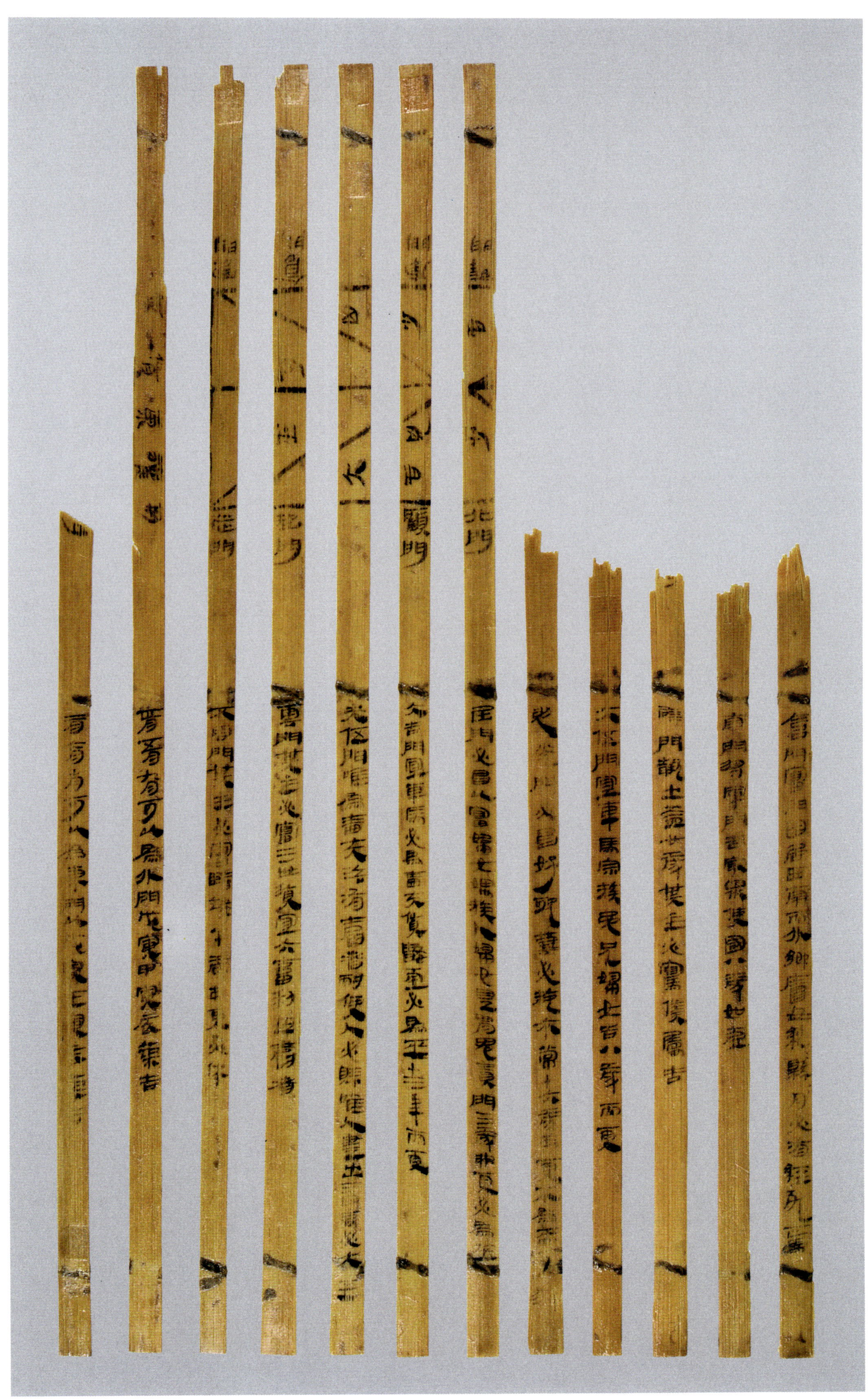

彩版七　竹簡（《日書》直門室篇）

彩版八　竹簡（《曆日》）

1.M8揭開槨蓋板的情況

2.M8隨葬品分佈

3.M8隨葬品特寫

4.M5隨葬品分佈

5.M16隨葬品分佈

6.M10隨葬品分佈

圖版一　墓葬情況

1.A 型Ⅰ式陶鼎 M16：8

2.A 型Ⅱ式陶鼎 M4：5

3.B 型Ⅰ式陶鼎 M8：12

4.B 型Ⅱ式陶鼎 M7：3

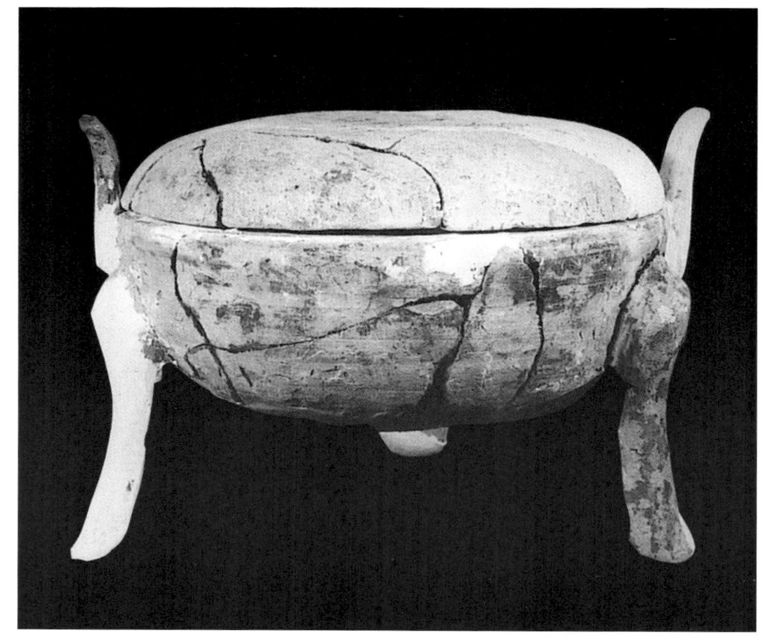

5.B 型Ⅲ式陶鼎 M1：5

6.C 型鼎 M11：2

圖版二　陶鼎

1. A 型Ⅰ式陶盒 M16：6

2. A 型Ⅱ式陶盒 M8：22

3. A 型Ⅱ式陶盒 M12：5

4. A 型Ⅲ式陶盒 M7：8

5. B 型陶盒 M11：1

6. C 型陶盒 M4：2

圖版三　陶盒

1.A 型Ⅰ式陶壺 M16：2

2.A 型Ⅱ式陶壺 M10：4

3.A 型Ⅱ式陶壺 M1：3

4.A 型Ⅲ式陶壺 M4：6

5.B 型陶壺 M14：5

6.陶鈁 M5：23

圖版四　陶壺、鈁

1. Ⅰ式陶甕M7：4

2. Ⅱ式陶甕M8：23

3. 雙耳陶罐 M7：5

4. 雙耳陶罐 M5：24

5. 陶杯 M12：1

6. 陶甑 M13：1

7. 陶釜 M1：3

8. 陶鉢 M10：10

圖版五　陶甕、罐、杯、甑、釜、鉢

1.A 型Ⅰ式陶竈 M8：3

2.A 型Ⅱ式陶竈 M14：3

3.B 型陶竈 M7：7

圖版六　陶竈

1. Ⅰ式銅盂 M8：28

2. Ⅱ式銅盂 M10：2

3.銅鏡 M14：1

4.銅鏡 M10：15

5.銅帶鈎 M8：54

6.銅帶鈎 M10：12

7.銅帶鈎 M10：13

8.銅圓環 M10：14−1(右)、M10：14−2(左)

圖版七　銅盂、鏡、帶鈎、圓環

1. Ⅰ式漆耳杯 M8：24

2. Ⅰ式漆耳杯底陰刻文字 M8：24

3. Ⅰ式漆耳杯底陰刻文字 M8：32

4. Ⅰ式漆耳杯底陰刻文字 M8：33

5. Ⅰ式漆耳杯底陰刻文字 M8：48

6. Ⅱ式漆耳杯 M8：39

7. Ⅲ式漆耳杯 M8：47

圖版八　漆耳杯

1.漆盤 M8：25

2.漆盤 M8：17

3.漆扁壺 M8：8

4.漆卮 M8：43

5.漆奩 M8：45

6.漆盒 M8：37

圖版九　漆盤、扁壺、卮、奩、盒

1.木俑 M8：18

2.木俑 M8：38

3.木馬 M8：11

圖版一〇　木俑、馬

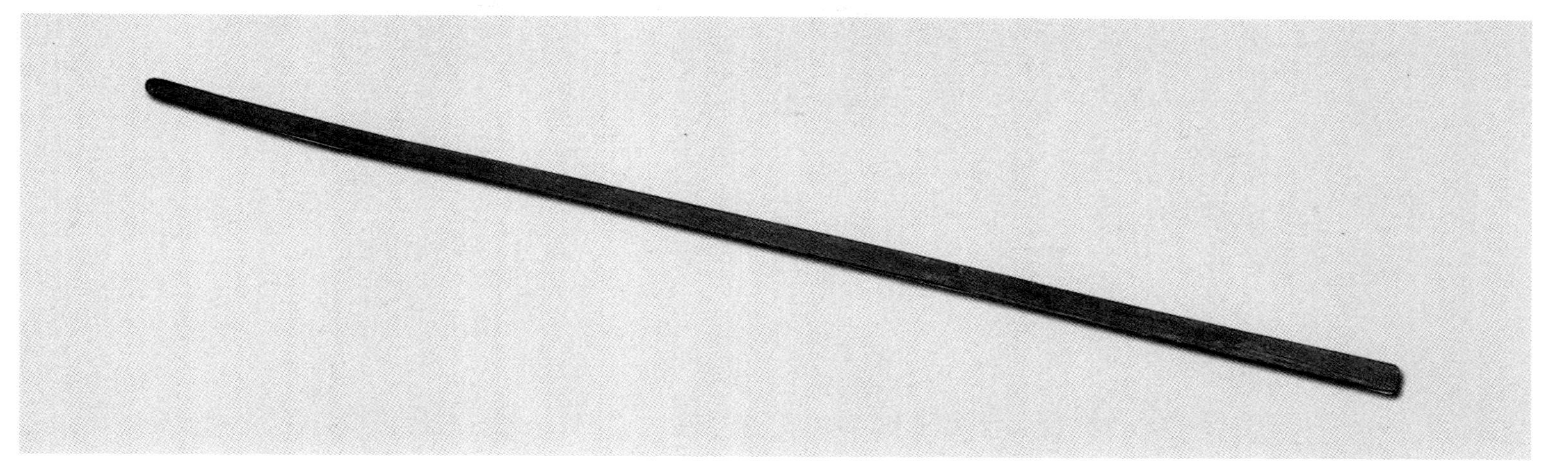

1.木矛 M8：55

2.木梳 M8：53

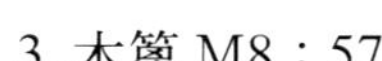

3.木篦 M8：57

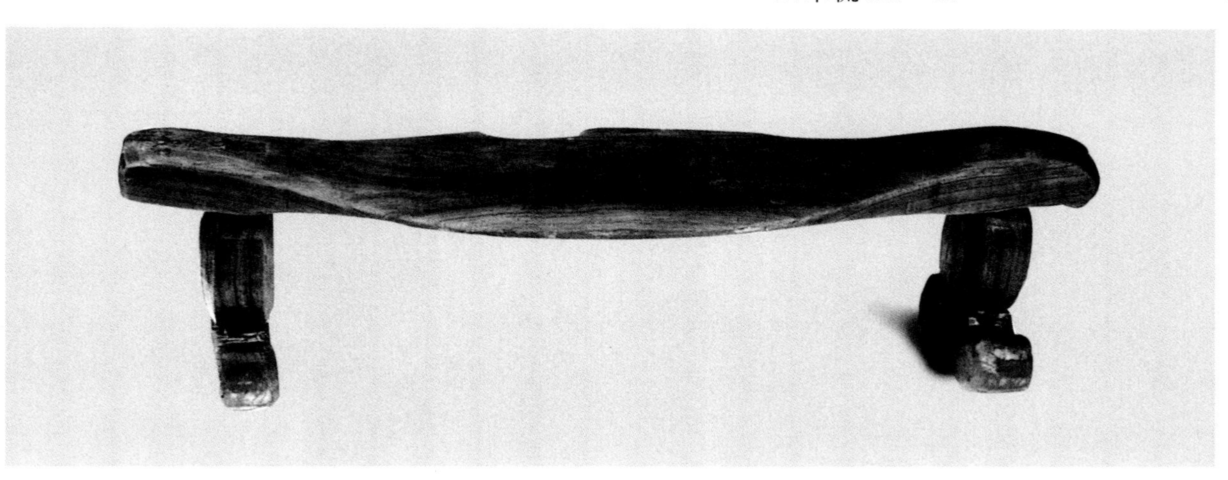

4.木几 M8：44

5.木器蓋 M5：3

6.木器蓋 M8：14

圖版一一　木傘、矛、梳、篦、器蓋

1.木珠 M8：49

2.木璧形器 M8：42

3.木璧形器 M5：4

4.木板 M5：18

5.木板 M8：52

圖版一二　木珠、璧形器、板

下卷　隨州孔家坡漢墓簡牘

凡例

一、本卷收録了發掘出土的全部簡牘，圖版是按簡牘原大影印。兩册簡及木牘原無標題，日書、曆日和告地書是整理者擬定的。兩册簡出土時都已散亂且有殘斷，在整理過程中，盡可能將已折斷的簡綴合復原，並根據出土位置和文句銜接等情況編排次序。不能這樣排定的，作爲未編聯簡列入圖版的附録。除未編聯簡外，圖版竹簡照片下端標出的簡號是整理後的竹簡序號，次序可能並不符合原來次序。圖版竹簡照片右側標出的數字壹、貳、叁、肆、伍表示竹簡文字書寫的欄次。殘簡的分欄酌情參考了相鄰簡的内容及書寫格式。

二、釋文大體依簡序寫定。對分欄書寫的簡文酌情調整順序寫出，並以簡號再加上欄次數位注明。凡文字相接的簡文，釋文都連寫。不相接的簡文，釋文分條書寫。對因竹簡殘斷造成其間有缺字，但文字可確定應相接的簡文，釋文亦連寫。

三、釋文對簡文作了分段處理，以清眉目。釋文的分段，大都是對簡文作内容上的分篇考慮，其中有的簡文原來就抄寫有篇題，如《建除》。除此之外的分段，一般是對一組出土位置相近但相互間的簡序不能明確的簡的編排考慮。未編聯簡的釋文，統作一段。

四、釋文不嚴格按照簡牘原來的字形排印。簡文中的假借字、異體字，釋文隨文注出本字、正字，外加（）號表示。簡文中的錯字，隨文注出正字，外加〈〉號表示。簡文原有脱字、衍字，釋文不加更動，在注釋中説明。

五、簡文筆劃殘損，但可據文意辨識的，釋文於其字外加□表示。無法釋出或隸定的字，釋文用□號表示。一個□號表示一個字；不能明確字數的，用……號表示。簡文缺失之字，凡可據旁簡格式或以意推定的，釋文於其字外加【】號表示。

六、原簡上的標識符號，釋文一概略去，全文另加標點符號。原簡上的重文號、合文號，釋文一般改寫成相應的字；省漏重文號、合文號的，亦改寫成相應的字，並在注釋中説明。

七、釋文中涉及原簡上圖表、圖畫的部分，因考慮編排的方便及畫面的清晰，作了一些技術性的處理。

日書圖版

一 二 三 四 五 六 七 八 九 一〇

壹　壹

貳　貳

一一　一二　一三　一四　一五　一六　一七　一八　一九　二〇

壹

貳

二一 二二 二三 二四 二五 二六 二七 二八 二九 三〇

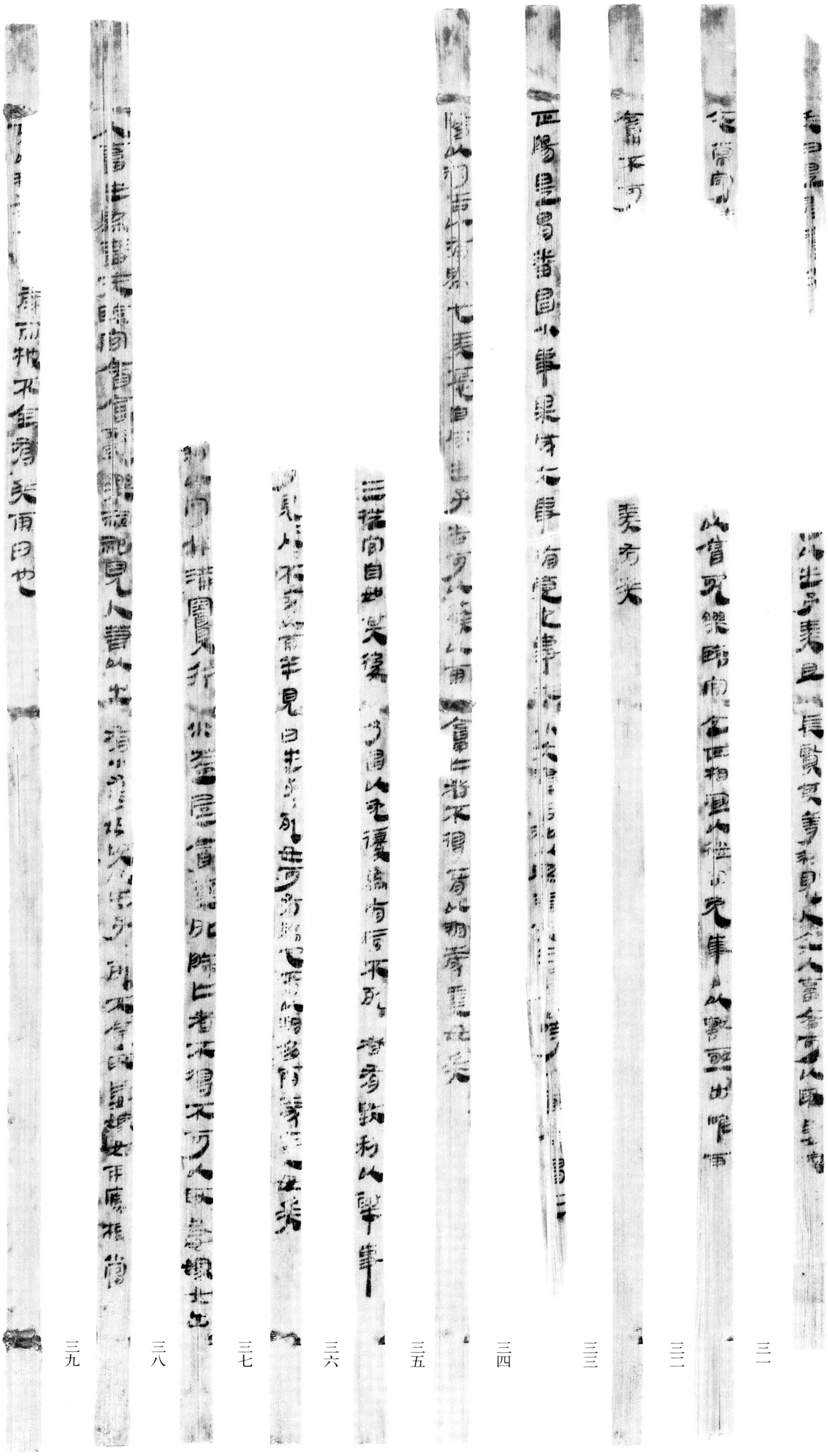

三一

三二

三三

三四

三五

三六

三七

三八

三九

四〇

四一　四二　四三　四四　四五　四六　四七　四八　四九　五〇

五一　五二　五三　五四　五五　五六　五七　五八　五九　六〇

六一 六二 六三 六四 六五 六六 六七 六八 六九 七〇

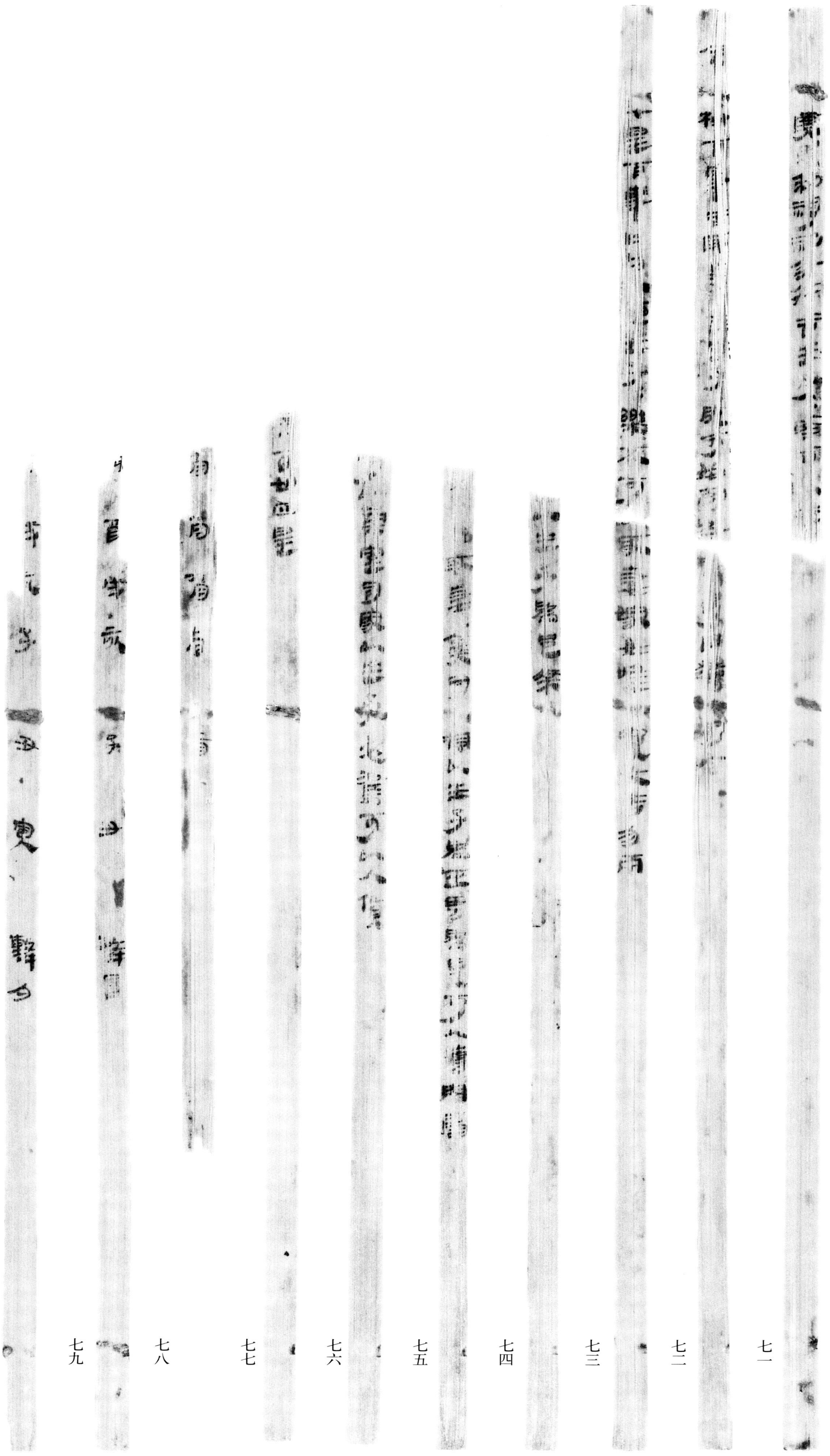

七一

七二

七三

七四

七五

七六

七七

七八

七九

八〇

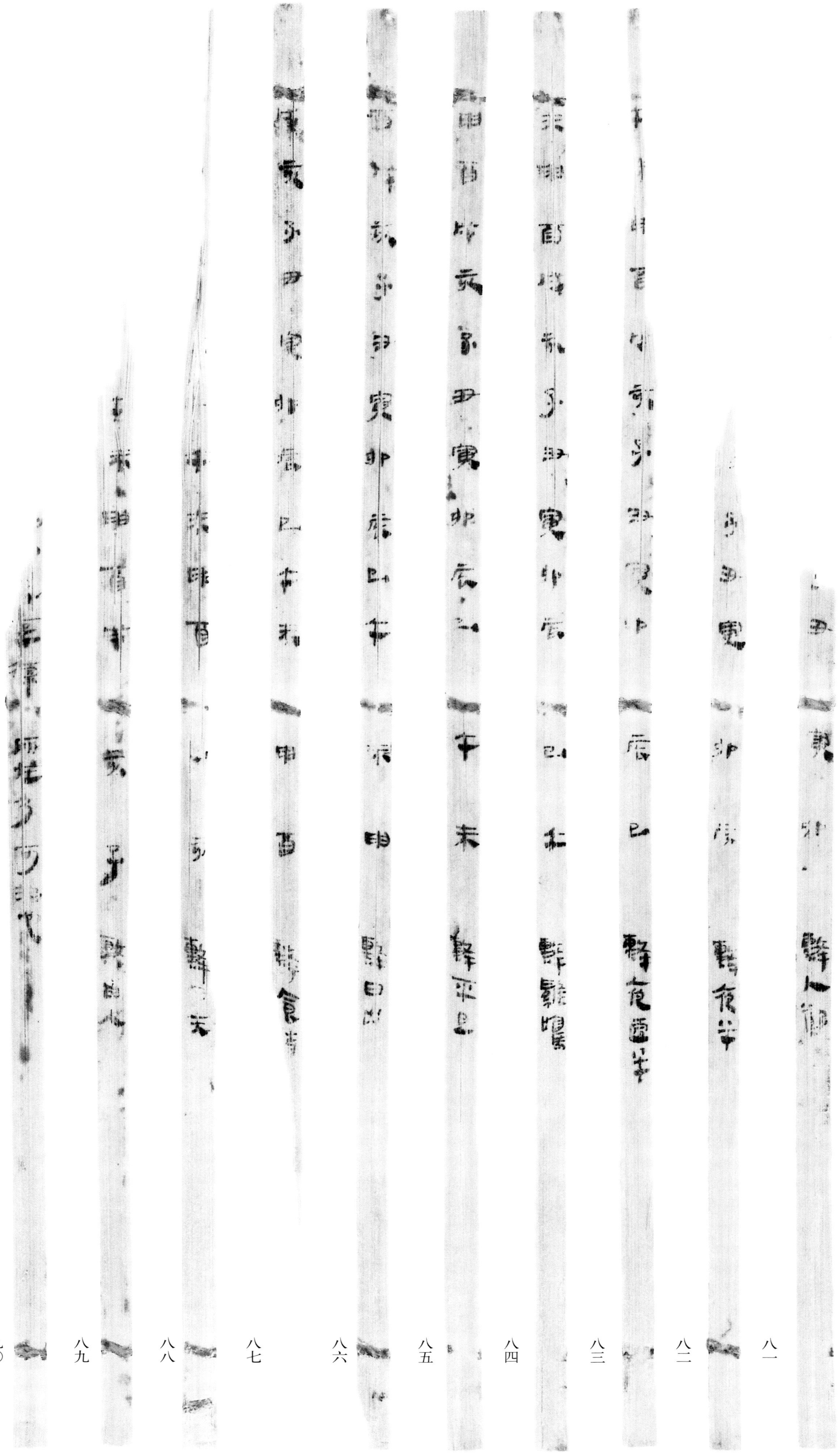

八一 八二 八三 八四 八五 八六 八七 八八 八九 九〇

壹 壹 壹 壹 壹 壹

貳 貳 貳 貳 貳 貳

九一 九二 九三 九四 九五 九六 九七 九八 九九 一〇〇

一〇一

一〇二

一〇三

一〇四

一〇五

一〇六

一〇七

一〇八

一〇九

一一〇

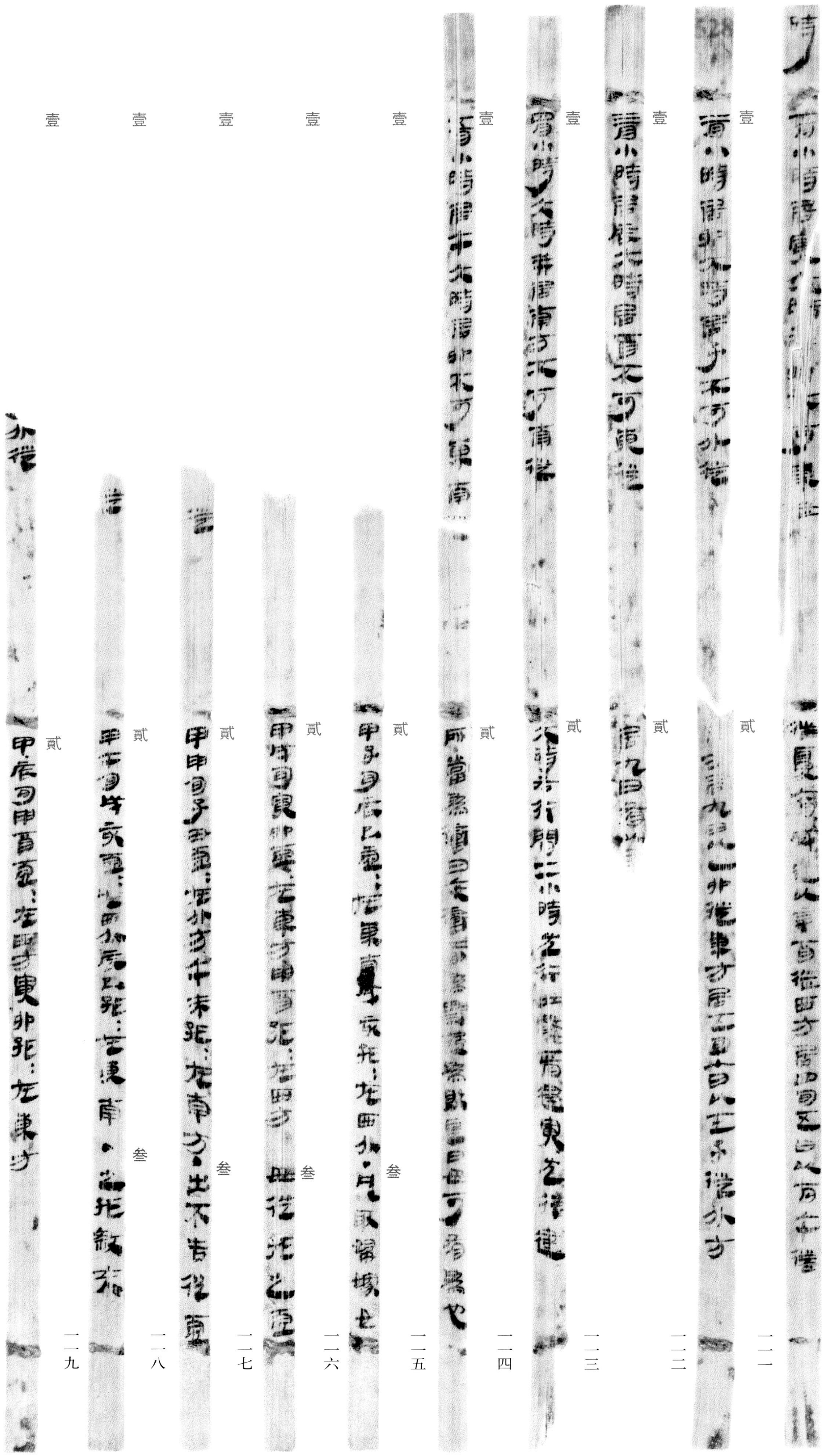

壹　貳　叁

一一一　一一二　一一三　一一四　一一五　一一六　一一七　一一八　一一九　一二〇

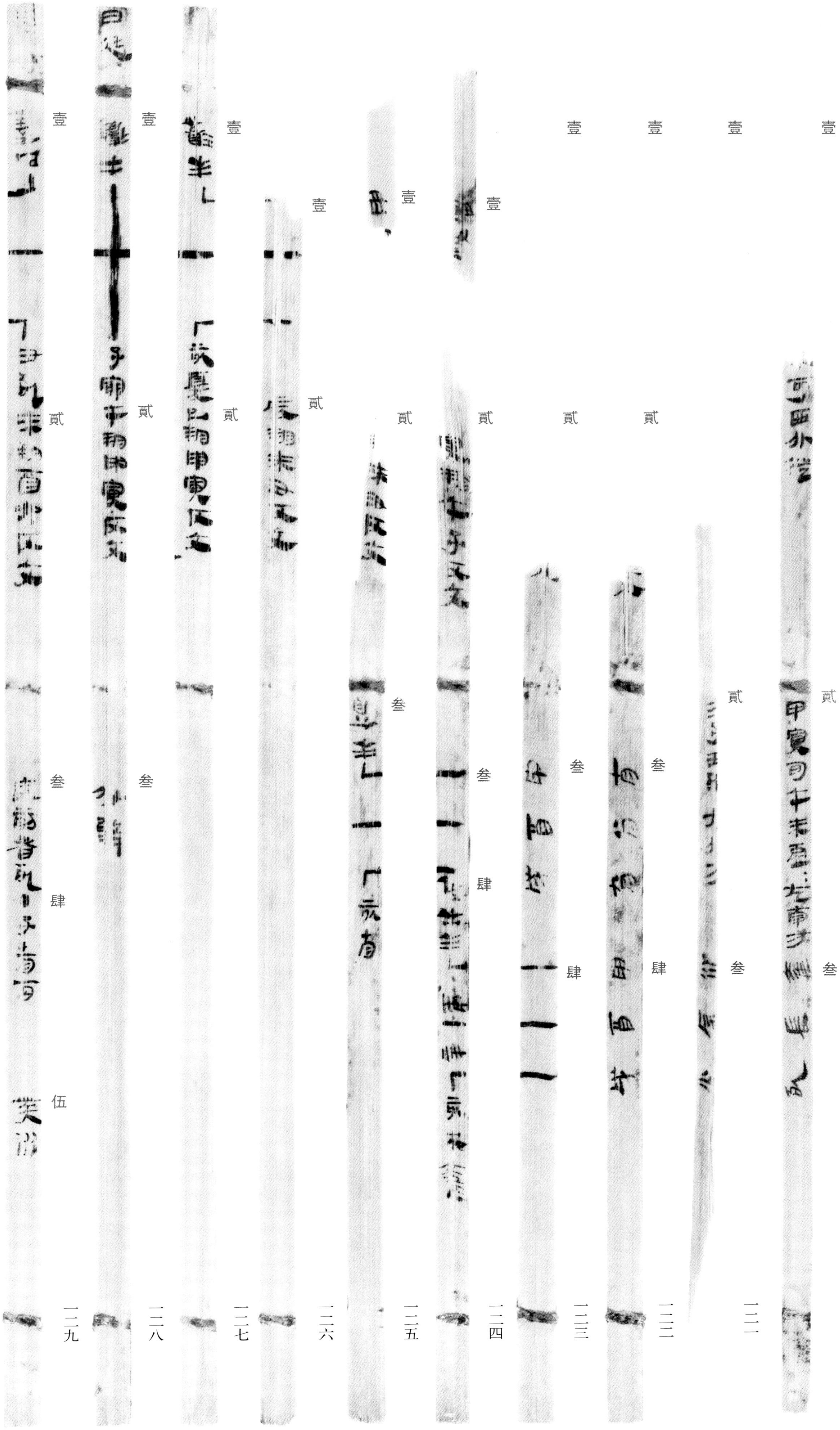

一二一

一二二

一二三

一二四

一二五

一二六

一二七

一二八

一二九

一三〇

一三一

一三二

一三三

一三四

一三五

一三六

一三七

一三八

一三九

一四〇

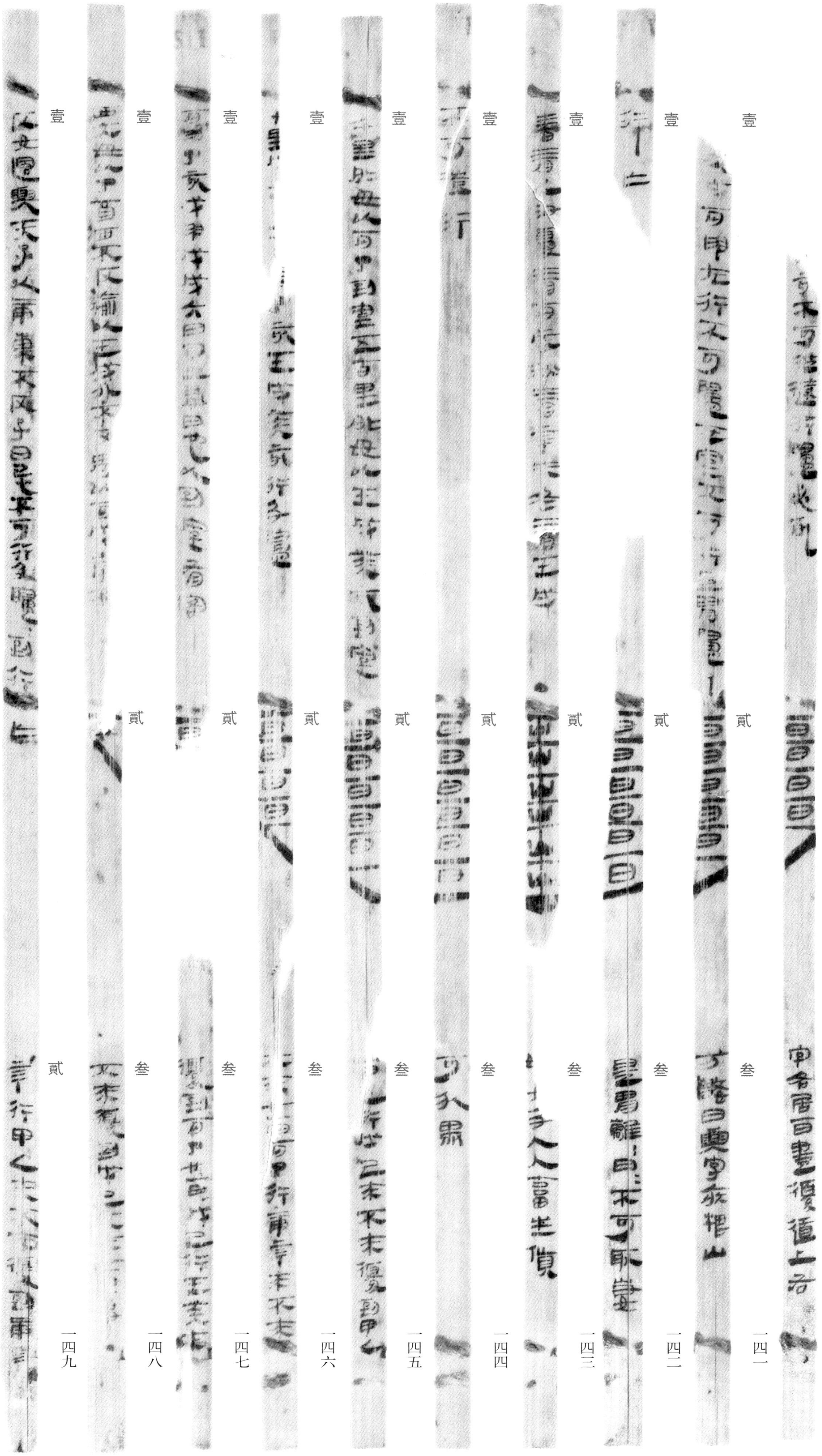

一四一

一四二

一四三

一四四

一四五

一四六

一四七

一四八

一四九

一五〇

一五一　壹　貳

一五二　壹　貳

一五三

一五四

一五五

一五六　壹　貳

一五七　壹　貳

一五八　壹　貳

一五九　壹　貳

一六〇　壹　貳

壹　壹　壹　壹　壹　壹　壹　壹　壹　壹

貳　貳　貳　貳　貳　貳　貳　貳　貳　貳

一六一　一六二　一六三　一六四　一六五　一六六　一六七　一六八　一六九　一七〇

壹　壹　壹　壹　壹

貳　貳　貳　貳　貳

一七一　一七二　一七三　一七四　一七五　一七六　一七七　一七八　一七九　一八〇

壹 壹 壹 壹 壹 壹 壹 壹 壹

貳 貳 貳 貳 貳 貳 貳 貳 貳

一八一 一八二 一八三 一八四 一八五 一八六 一八七 一八八 一八九 一九〇

一九一

一九二

一九三

一九四

一九五

一九六

一九七

一九八

一九九

二〇〇

二〇一 壹 貳

二〇二

二〇三

二〇四

二〇五

二〇六 壹 貳

二〇七 壹 貳 叁

二〇八 壹 貳 叁

二〇九 壹 貳 叁

二一〇 壹 貳 叁

壹　貳　叁

二一一

壹　貳　叁

二一二

壹　貳　叁

二一三

壹　貳　叁

二一四

二一五

二一六

二一七

二一八

二一九

二二〇

壹 壹 壹

貳 貳 貳

二二一 二二二 二二三 二二四 二二五 二二六 二二七 二二八 二二九 二三〇

壹

貳

二三一

二三二

二三三

二三四

二三五

二三六

二三七

二三八

二三九

二四〇

二四一 二四二 二四三 二四四 二四五 二四六 二四七 二四八 二四九 二五〇

二五一

二五二

二五三

二五四

二五五

二五六

二五七

二五八

二五九

二六〇

二六一

二六二

二六三

二六四

二六五

二六六

二六七

二六八

二六九

二七〇

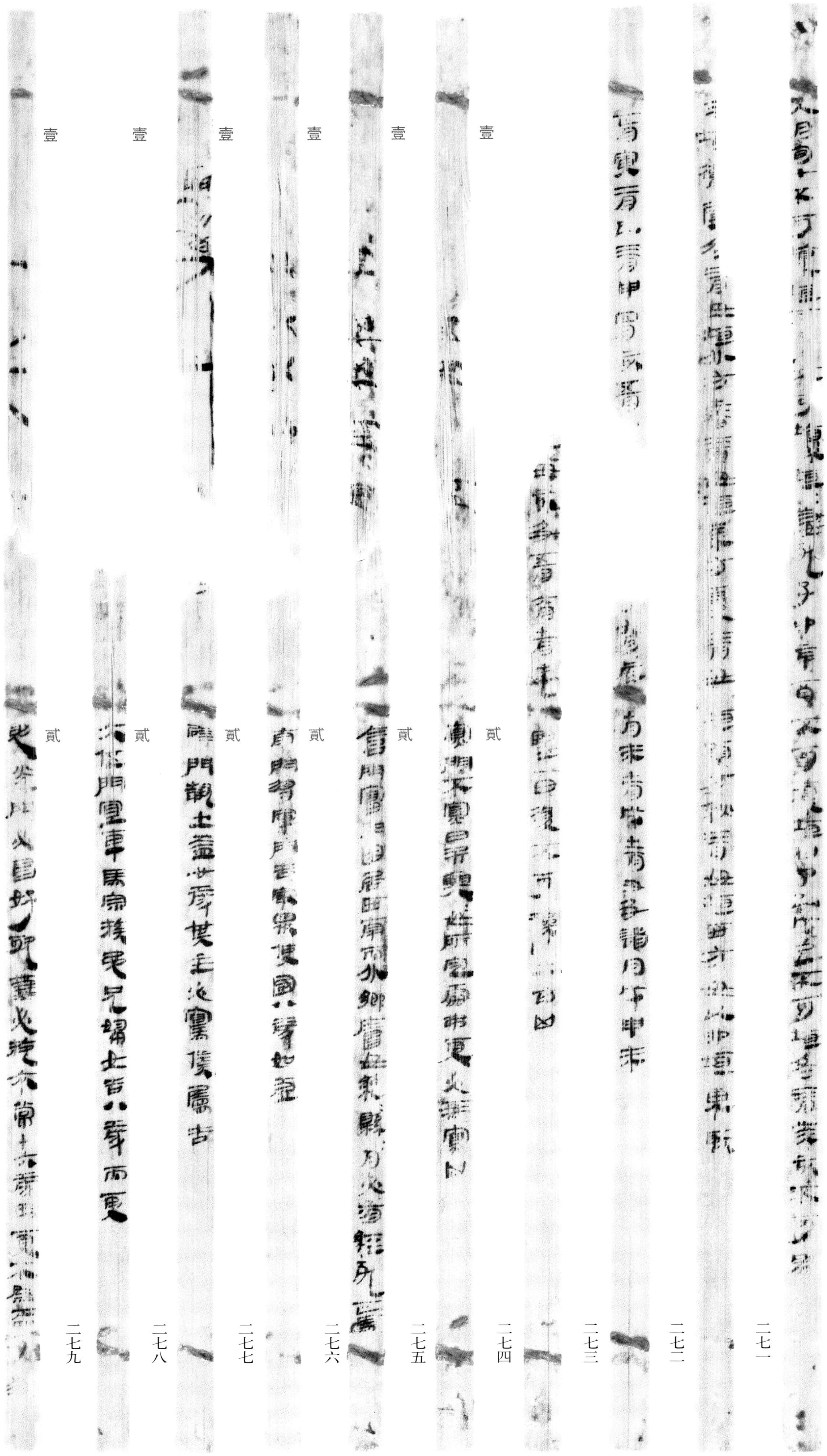

二七一　二七二　二七三　二七四　二七五　二七六　二七七　二七八　二七九　二八〇

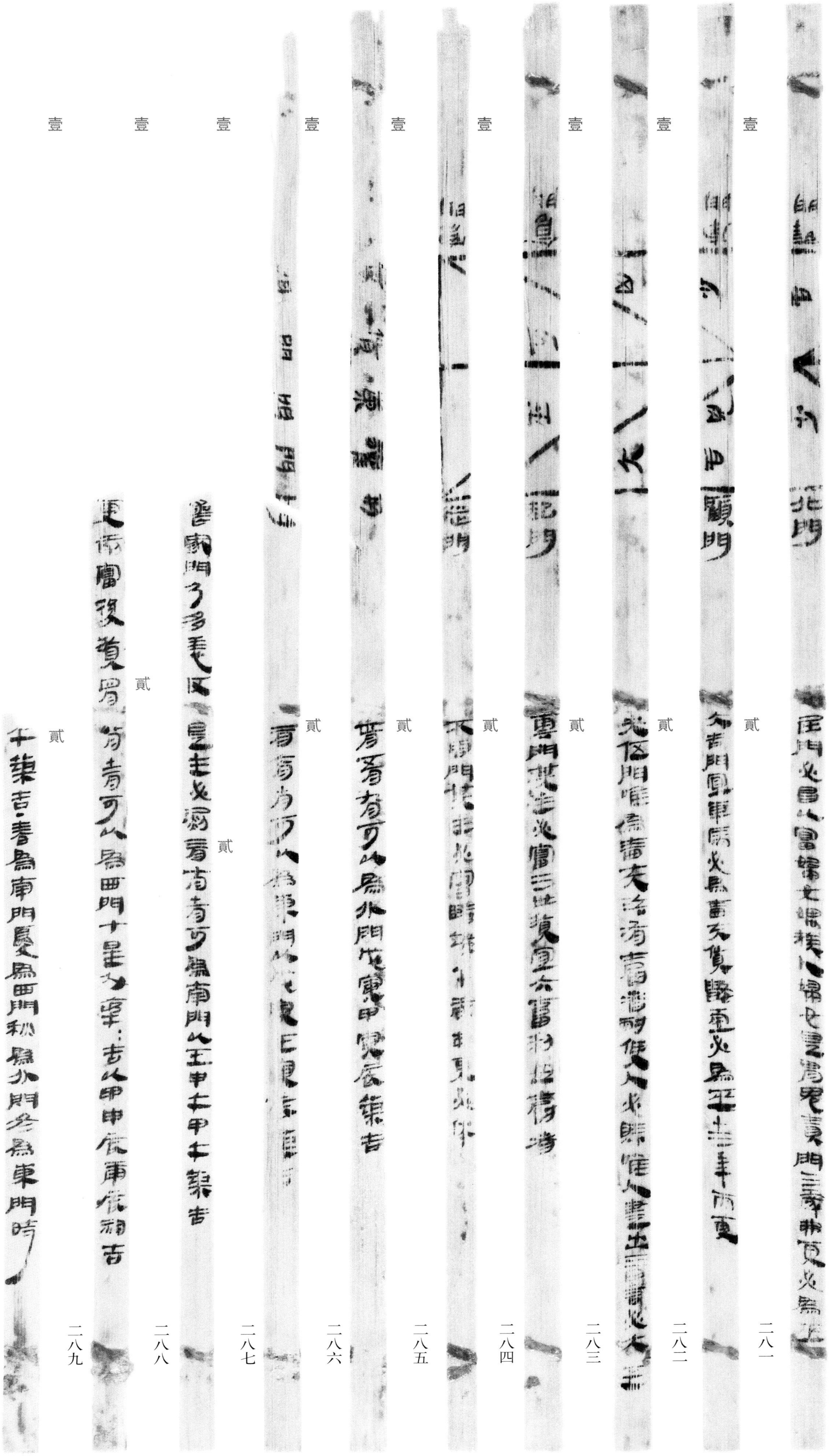

二八一 壹 貳

二八二 壹 貳

二八三 壹 貳

二八四 壹 貳

二八五 壹 貳

二八六 壹 貳

二八七 壹 貳

二八八 壹 貳

二八九 壹 貳

二九〇 壹 貳

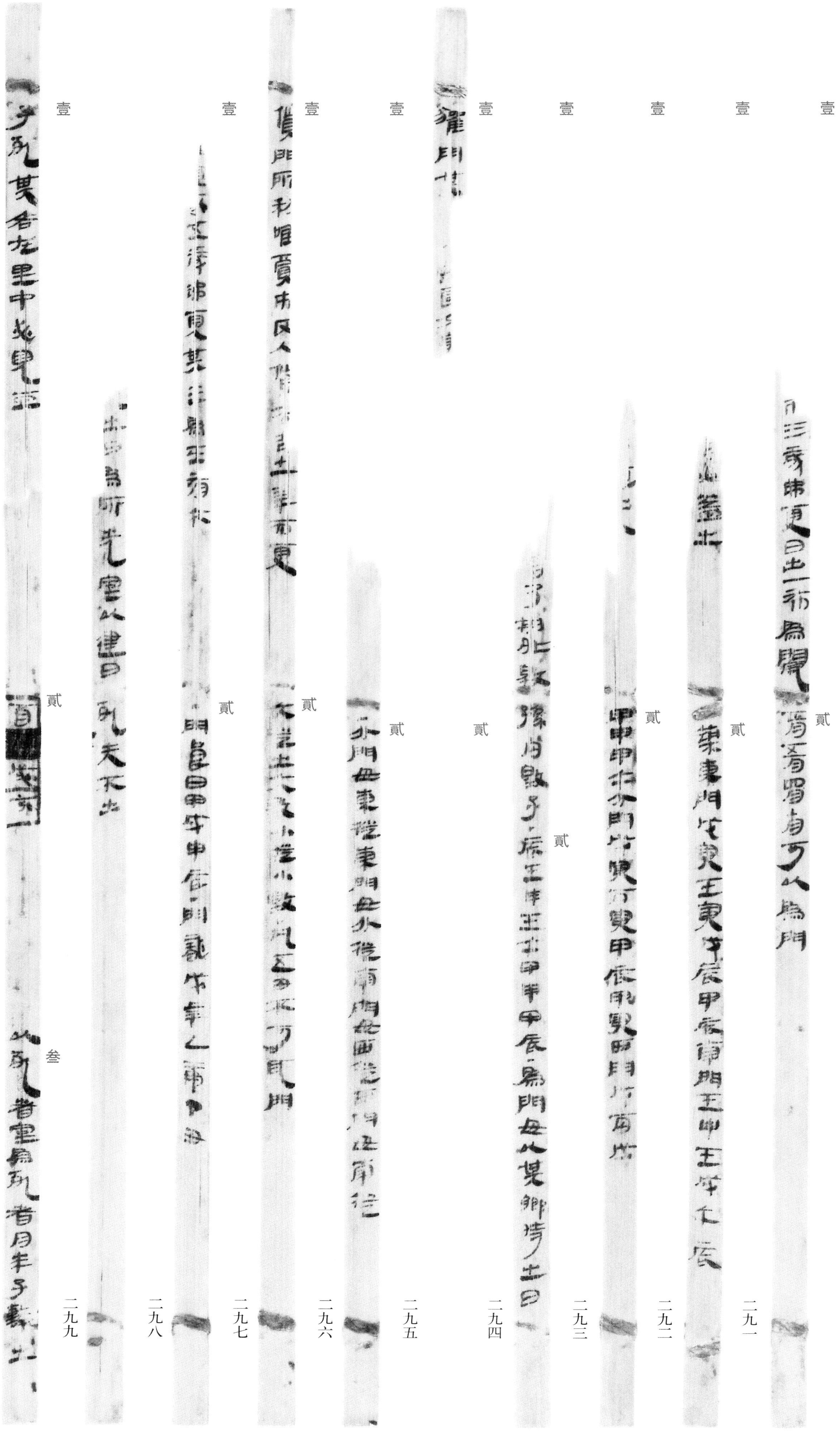

二九一

二九二

二九三

二九四

二九五

二九六

二九七

二九八

二九九

三〇〇

三〇一 壹 貳 叁

三〇二 壹 貳

三〇三 壹 貳

三〇四 壹 貳 叁

三〇五 壹 貳 叁

三〇六 壹 貳 叁

三〇七

三〇八

三〇九

三一〇

三一一

三一二

三一三

三一四

三一五

三一六

三一七

三一八

三一九

三二〇

三一一

三一二

三一三

三一四

三一五

三一六

三一七

三一八

三一九

三二〇

三三一

三三二

三三三

三三四

三三五

三三六

三三七

三三八

三三九

三四〇

三四一

三四二

三四三

三四四

三四五

三四六

三四七

三四八

三四九

三五〇

壹　貳　叁

三五一

三五二

三五三

三五四

三五五

三五六

三五七

三五八

三五九

三六〇

三六一

三六二

三六三

三六四

三六五

三六六

三六七

三六八

三六九

三七〇

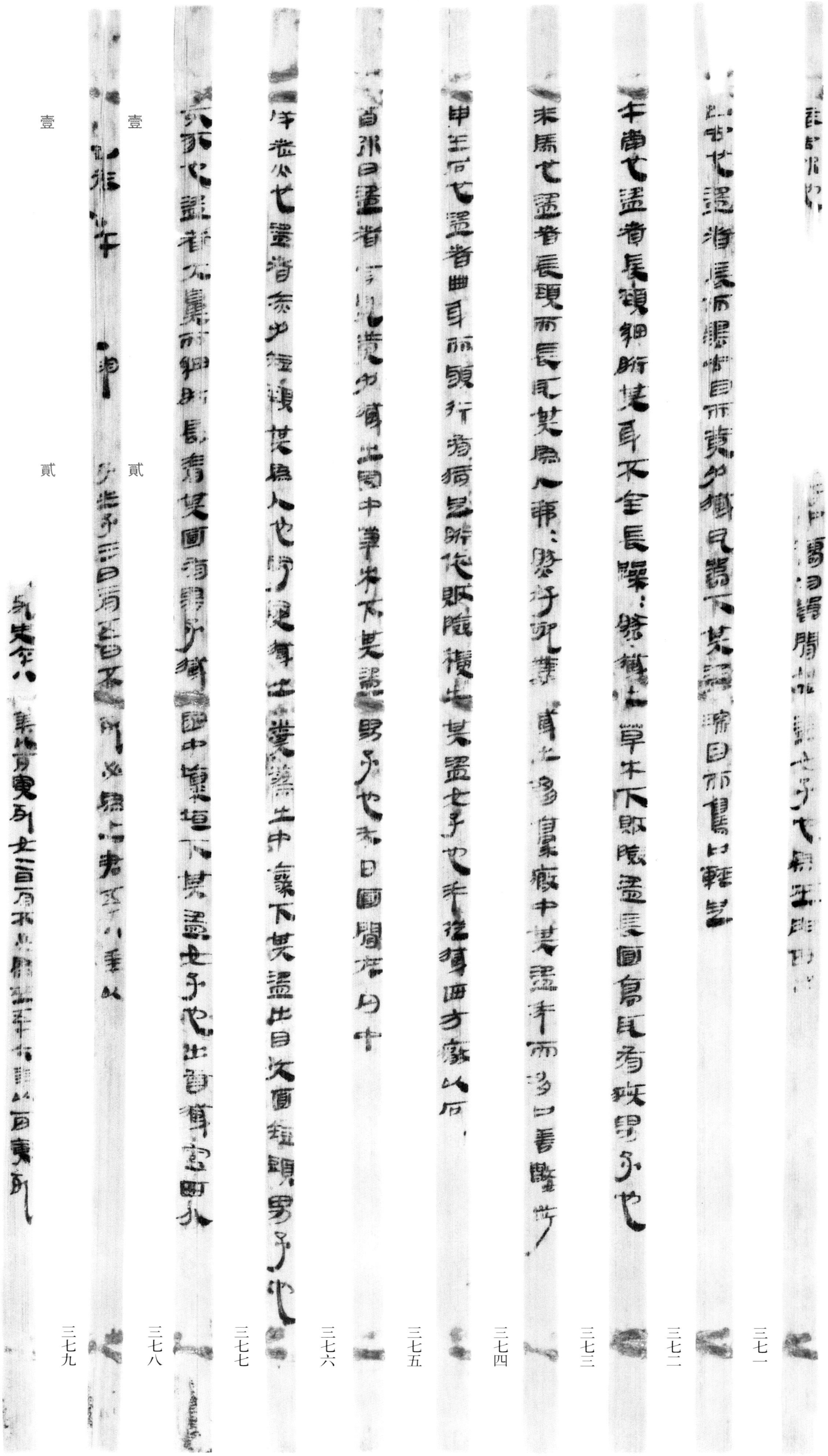

三七一

三七二

三七三

三七四

三七五

三七六

三七七

三七八

壹

貳

三七九

壹

貳

三八〇

壹 壹 壹 壹 壹 壹 壹 壹 壹 壹

貳 貳 貳 貳 貳 貳 貳 貳 貳 貳

三八一 三八二 三八三 三八四 三八五 三八六 三八七 三八八 三八九 三九〇

三九一

三九二

三九三

三九四

三九五

三九六

三九七

三九八

三九九

四〇〇

四〇一

四〇二

四〇三

四〇四

四〇五

四〇六

四〇七

四〇八

四〇九

四一〇

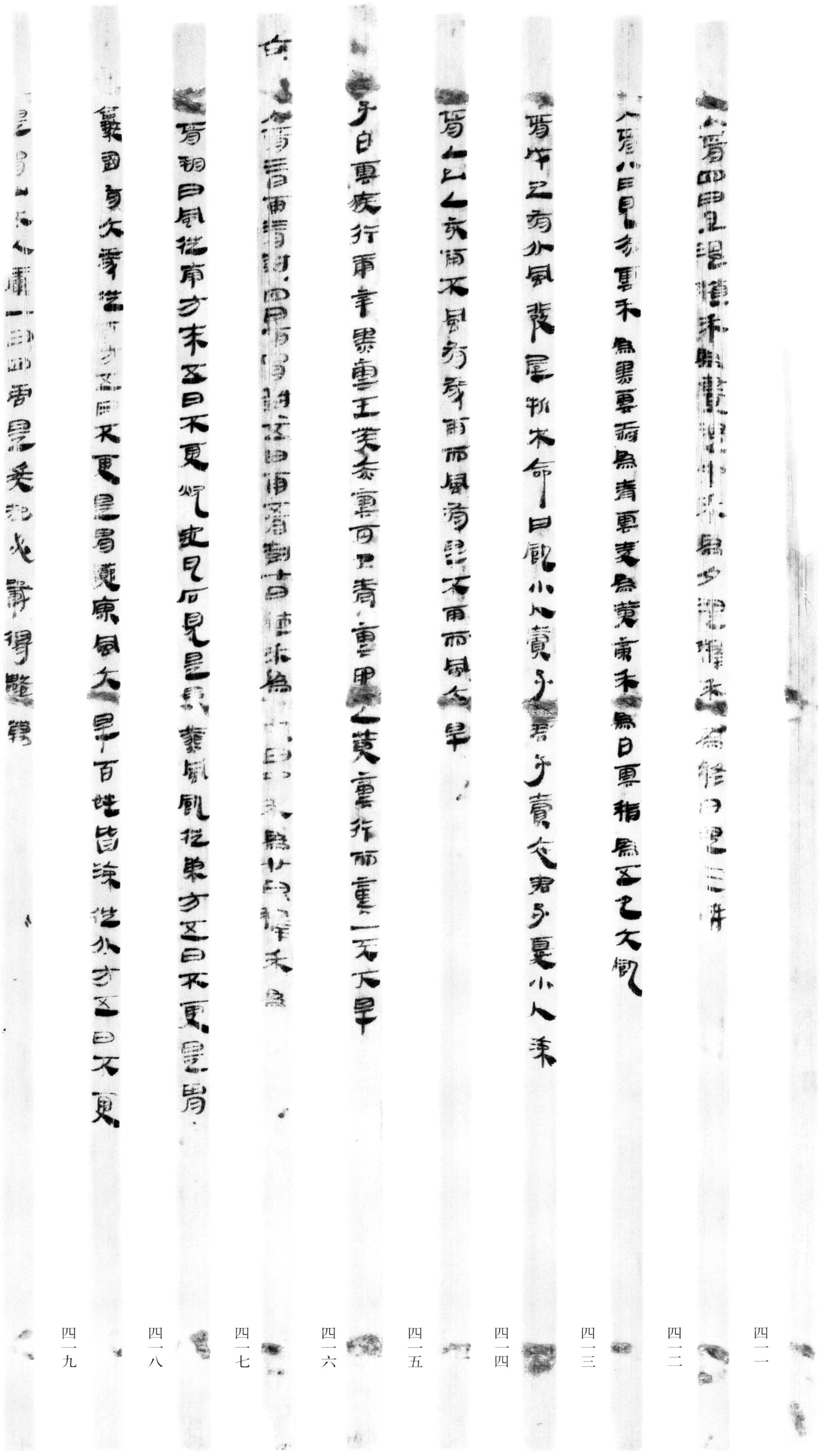

四一一　四一二　四一三　四一四　四一五　四一六　四一七　四一八　四一九　四二〇

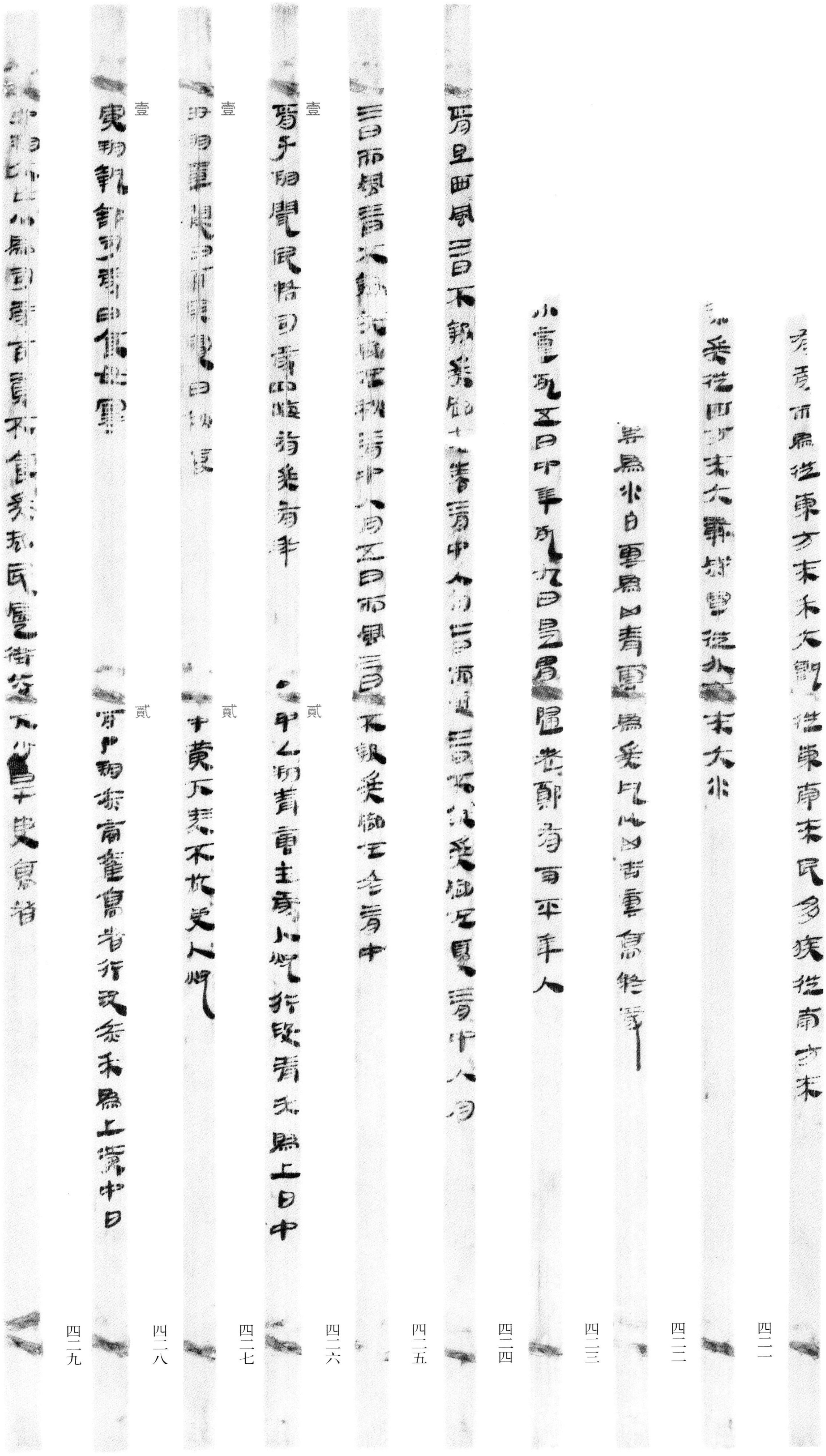

壹 壹 壹

貳 貳 貳

四二一 四二二 四二三 四二四 四二五 四二六 四二七 四二八 四二九 四三〇

四三一

四三二

四三三

四三四

四三五

四三六

四三七

四三八

四三九

四四〇

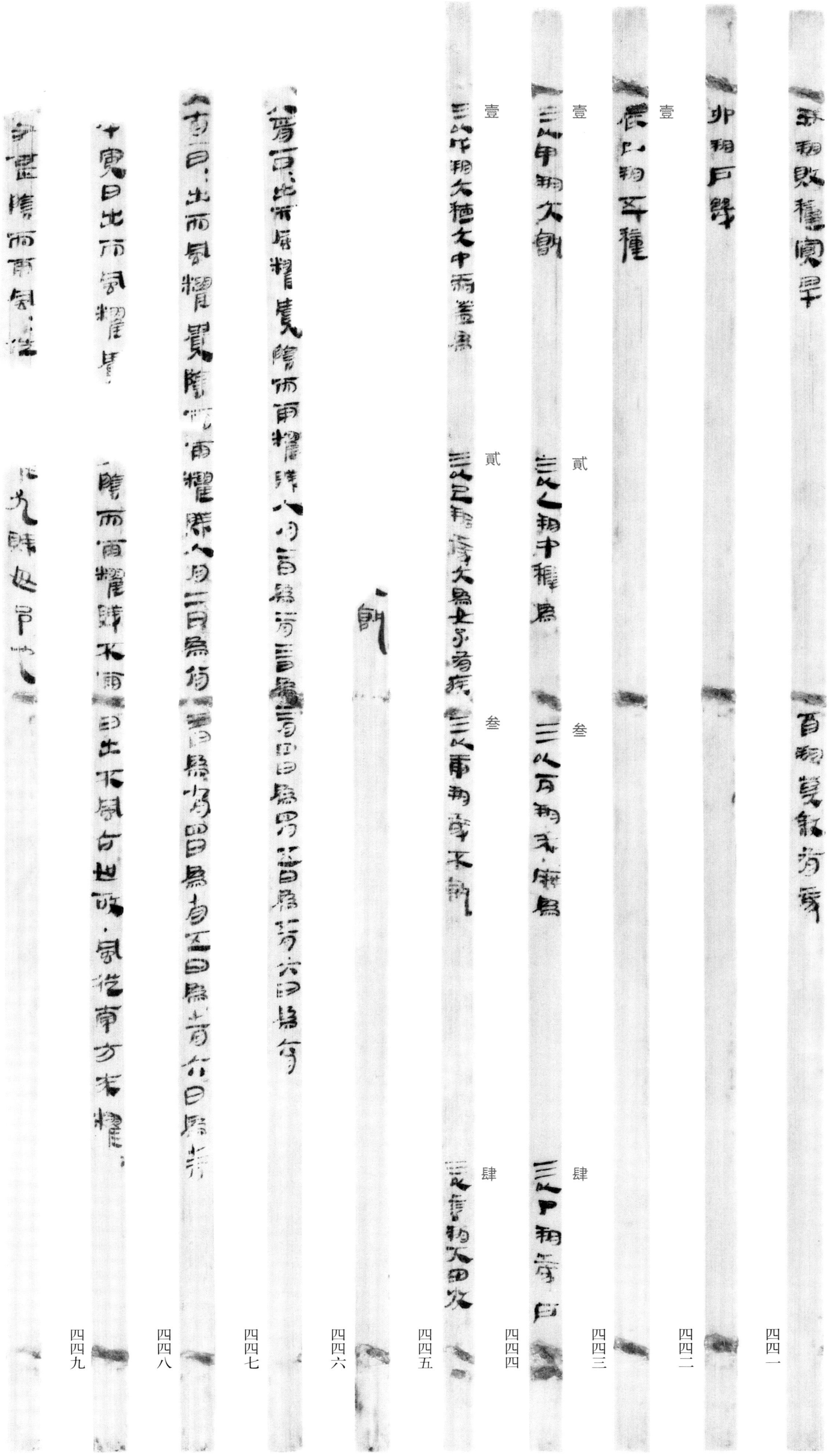

壹 貳

壹

壹

壹 貳 叁 肆

壹 貳 叁 肆

四四一 四四二 四四三 四四四 四四五 四四六 四四七 四四八 四四九 四五〇

四五一

四五二

四五三

四五四

四五五

四五六

四五七

四五八

四五九

四六〇

四六一

四六二

四六三

四六四

四六五

四六六

四六七

四六八

四六九

四七〇

四七一

四七二

四七三

四七四

四七五

四七六

四七七

四七八

附　未編聯殘片

殘一

殘二

殘三

殘四

殘五

殘六

殘七

殘八

殘九

殘一〇

殘一一

殘一二

殘一三

殘一四

殘一五

殘一六

殘一七

殘一八

殘一九

殘二〇

殘二一

殘二二

殘二三

殘二四

殘二五

殘二六

殘二七

殘二八

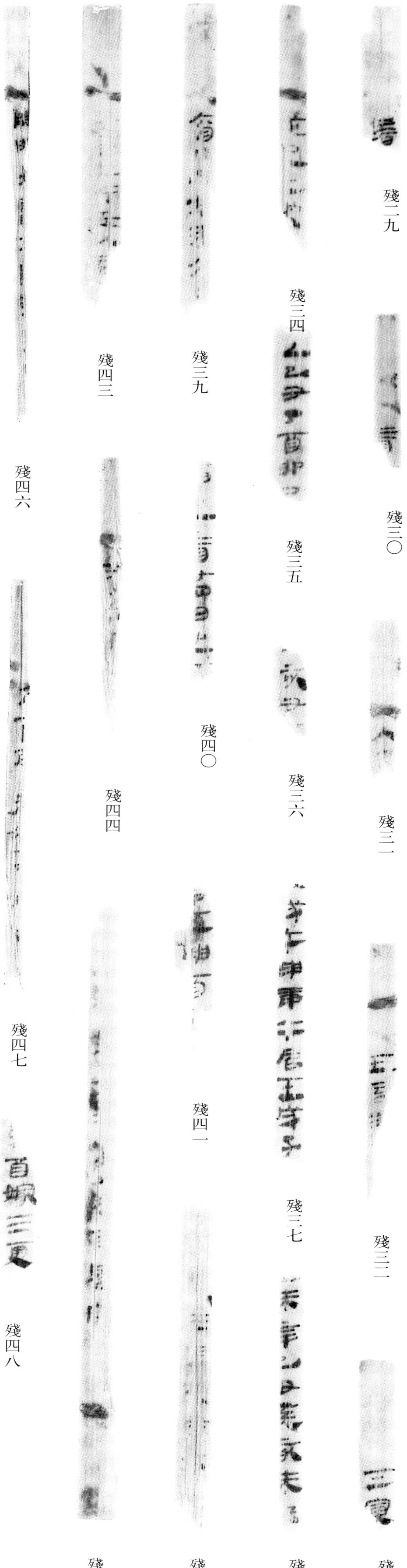

殘二九

殘三〇

殘三一

殘三二

殘三三

殘三四

殘三五

殘三六

殘三七

殘三八

殘三九

殘四〇

殘四一

殘四二

殘四三

殘四四

殘四五

殘四六

殘四七

殘四八

曆日圖版

一〇　九　八　七　六　五　四　三　二　一

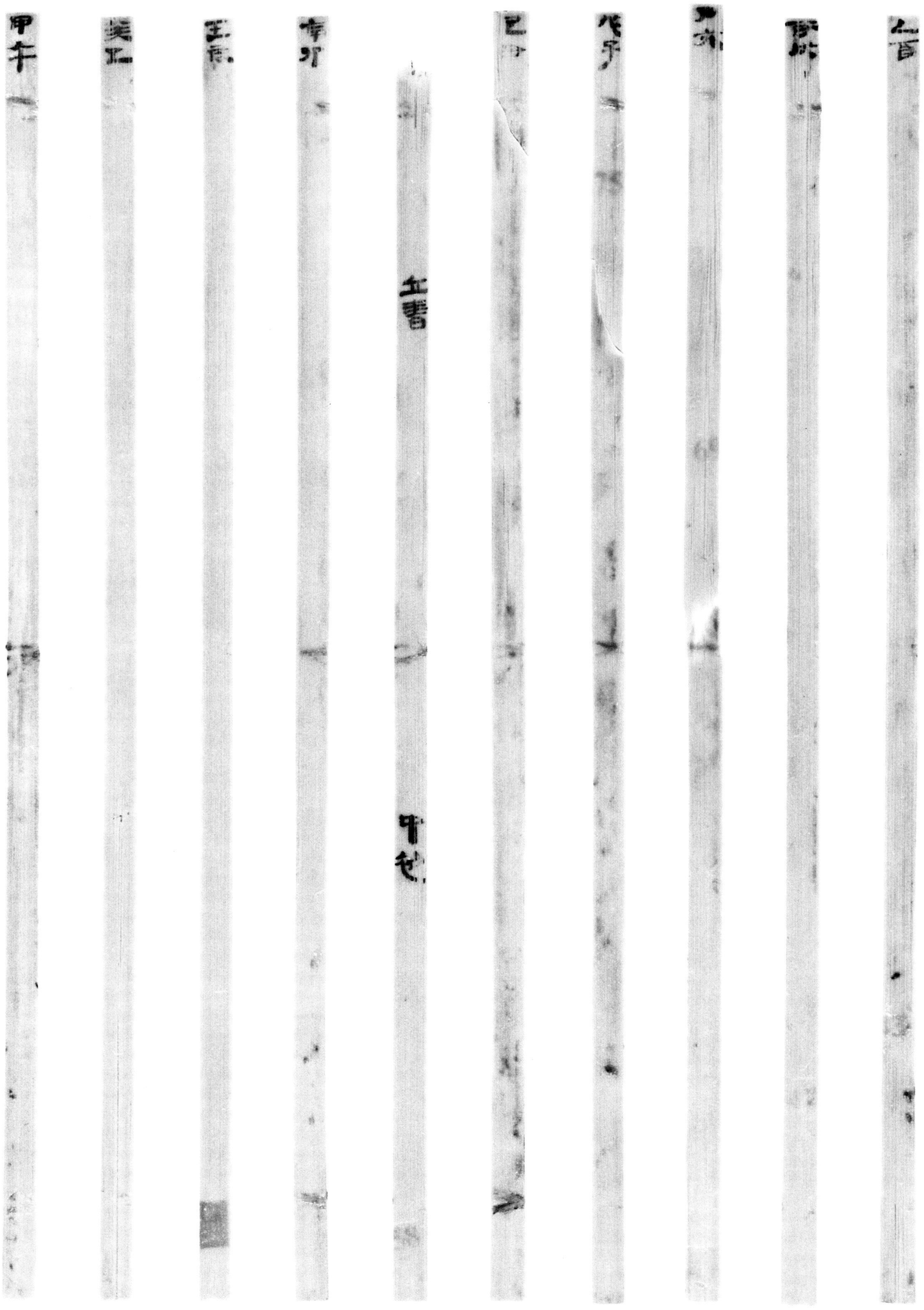

一一　一二　一三　一四　一五　一六　一七　一八　一九　二〇

二一

二二

二三

二四

二五

二六

二七

二八

二九

三〇

三一

三二

三三

三四

三五

三六

三七

三八

三九

四〇

五〇　四九　四八　四七　四六　四五　四四　四三　四二　四一

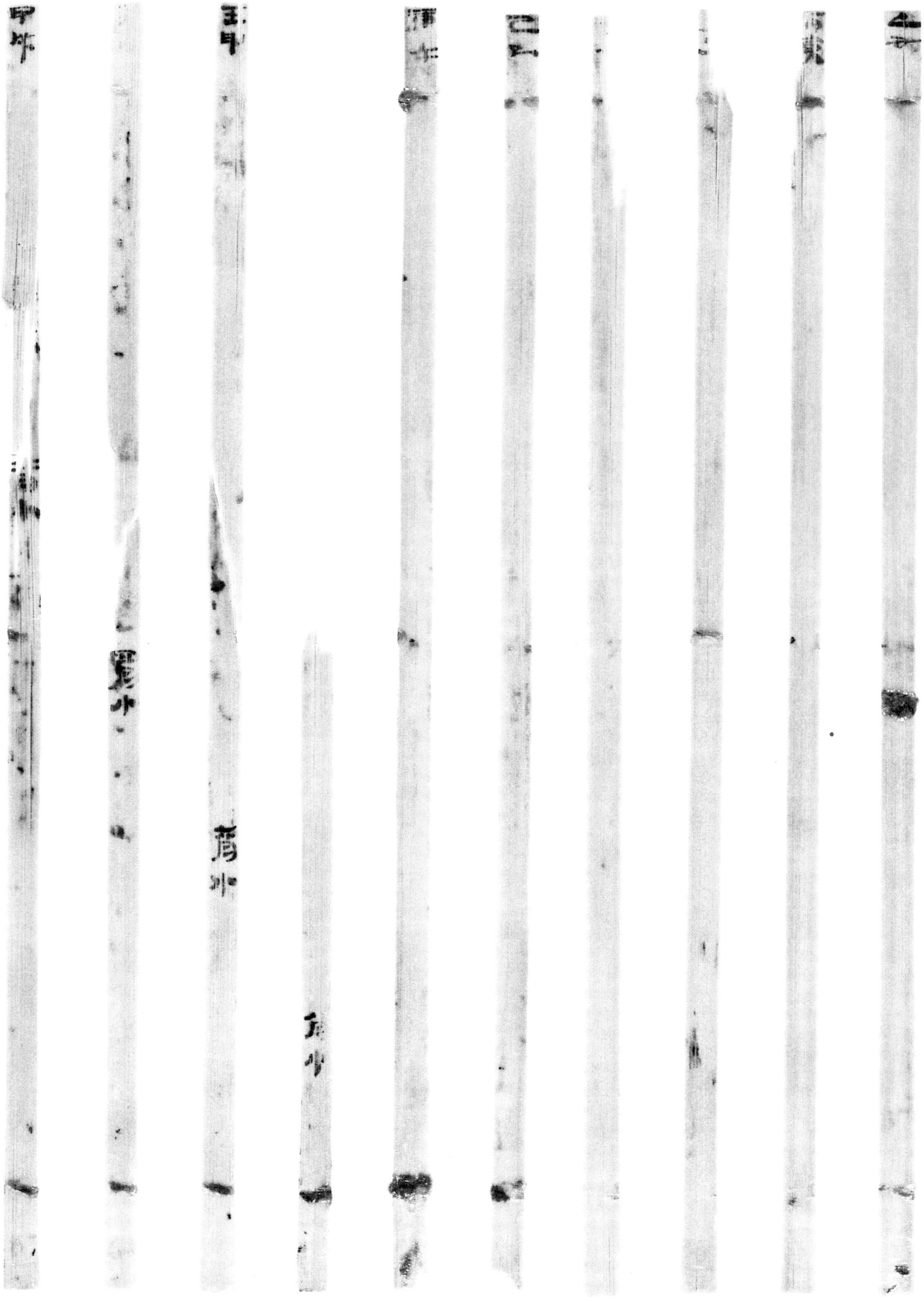

五一　五二　五三　五四　五五　五六　五七　五八　五九　六〇

告地書圖版

背

正

日書釋文注釋

正月，建寅，除卯，盈辰，平巳，定午，執未，破申，危酉，成戌，收亥，開子，閉丑。一壹

二月，建卯，除辰，【盈】巳，平午，定未，執申，破酉，危戌，成亥，收子，開丑，閉寅。二壹

三月，建辰，除巳，盈午，平未，定申，執酉，破戌，危亥，成子，收丑，開寅，閉卯。三壹

四月，建巳，除午，盈未，平【申，定酉，執戌，破亥】，危子，成丑，收【寅，開】卯，閉辰。四壹

五月，建午，除未，盈申，【平酉，定戌，執亥，破子，危丑，成寅，收卯】，開辰，閉巳。五壹

六月，建未，除申，盈酉，【平戌，定亥，執子】，破丑，危寅，成卯，收辰，開巳，閉午。六壹

七月，建申，除酉，盈戌，平亥，定【子，執丑，破寅】，危卯，成辰，收巳，開午，閉未。七壹

八月，建酉，除戌，盈亥，平子，定丑，執寅，破卯，危辰，成巳，收午，開未，閉申。八壹

九月，建戌，除亥，盈子，平丑，定寅，執卯，破辰，危巳，成午，收未，開申，閉酉。九壹

十月，建亥，除子，盈丑，平寅，定卯，執辰，破巳，危午，成未，收申，開酉，閉戌。一〇壹

十一月，建子，除丑，盈【寅，平卯，定辰，執巳，破】午，危未，成申，收酉，開戌，閉亥。一一壹

十二月，建丑，除寅，盈卯，平辰，定巳，執午，破未，危申，成酉，收戌，開亥，閉子。一二壹

建日，可爲大嗇夫〔二〕、冠帶、乘車。不可以□□夫。可以禱祠，利朝不利暮。可以入人〔三〕。一三

除日，奴婢亡，不得。有瘴病者〔四〕，死。可以□□□、□言君子〔五〕。可以毀除。可以飲樂（藥）〔六〕。以功（攻），不報〔七〕。一四

盈日，可以築閒牢〔八〕、築宮室、入六畜〔九〕、爲嗇【夫。有】疾者，不起，□□〔一〇〕。一五

平日，可以取（娶）婦、嫁女……一六

定日，可以臧（藏）、爲府、□……一七

執日，不可以行，以是，不亡，必執入縣官〔一一〕。可以逐盜，圍得。一八

破日，可以伐木、壞垣、毀器。它毋可有爲。一九

危日，可以責〔一二〕、捕人、功（攻）□〔一三〕，射。二〇

成日，可以謀事、起衆、興大事〔一四〕。二一

收日，可以入人、馬牛、畜產、禾稼。可以入室〔一五〕、取（娶）妻。二二

開日，亡者不得。可以請謁。言盜，必得。二三

閉日，可以入馬牛、畜生（牲）、禾粟，居室，取（娶）妻，入奴婢，破隄（堤）。二四

【注釋】

〔一〕「建除」寫在一號簡的首端，是原有的篇題。本篇由兩部分組成，前一部分排出建除十二名在一年十二月中所配的日辰，後一部分説明十二建除日的宜忌，內容與睡虎地秦簡《日書》甲種的「秦除」、放馬灘秦簡《日書》甲種的「建除」基本相同，可見本篇屬于秦的建除。在睡虎地秦簡《日書》甲種和荆門九店楚簡《日書》中還記載有楚的建除，具體內容與秦建除有別。《史記·日者列傳》記有建除家，《淮南子·天文》對建除十二名與日辰的配置有簡略的説明。

〔二〕大嗇夫，官名，見於睡虎地竹簡秦律，可能專指縣令、長。

〔三〕人，指奴婢。

〔四〕癉，《素問·奇病論》注：「癉，謂熱也。」《論衡·順鼓》：「其有旱也，何以知不如人之有癉疾也。」

〔五〕此句放馬灘秦簡《日書》甲種釋文作「瘢言君子」。

〔六〕樂，讀爲「藥」。飲藥，即服藥。

〔七〕報，《漢書·胡建傳》注引蘇林：「報，論也。斷獄爲報。」

〔八〕閒，讀爲「閑」。《漢書·百官公卿表》注：「閑，闌，養馬之所也。」

〔九〕入六畜，睡虎地秦簡《日書》甲種作「可以産」，整理小組認爲有缺文。今按秦簡可能在「産」字前脱漏了「入」字。産指牲畜，「可以入産」是説可以入養牲畜。孔家坡簡多處將馬牛和畜産並列，可見畜産並不包括馬牛。

〔一〇〕放馬灘秦簡《日書》甲種釋文作「難瘳」。

〔一一〕縣官，指官府。此句謂執日不可出行，如果出行，即使不死也會因故而有官獄之事。

〔一二〕責，《説文句讀》：「謂索求負家償物也。」或疑指責罰。

〔一三〕「攻」下一字不識，睡虎地秦簡《日書》甲種相當之字作「毄（擊）」。

〔一四〕大事，《禮記·月令》「毋作大事」注：「大事，兵役之屬。」

〔一五〕入室，指遷徙進入新居。

伐木日〔一〕：

壬……〔二〕二貳

甲子、乙丑伐榆，父死。三貳

庚辛伐桑，妻死。四貳

丙寅、丁卯、己巳伐棗□母死。五貳

壬癸伐□□少子死。六貳

【注釋】

〔一〕「伐木日」是原有的篇題。本篇講述伐木的忌日，內容與古代的五木有關。睡虎地秦簡《日書》乙種「木日」篇云：「木忌，甲乙榆，丙丁棗，戊己桑，庚辛李，壬辰〈癸〉㯃（漆）。」可與本篇互參。

〔二〕缺文可能與戊己伐木的事情有關。

金錢良日〔一〕：

甲寅、乙卯□□□□。七貳不可出入財，乃八貳後絕。□□、戊午、戊寅勿入貨。九貳□入月三日，不可出入□□一〇貳胃、危、營□、柳、斗、奎、牽牛、必（畢）一一貳入□□，身□□〔二〕。一二貳

【注釋】

〔一〕「金錢良日」是本篇原有的篇題。本篇講述出入財貨的良日和忌日。睡虎地秦簡《日書》甲種九三號簡正貳、江陵岳山秦牘M36:43正都有「金錢良日」條，內容與本篇相近。

〔二〕簡一〇貳—一二貳殘泐比較嚴重，具體內容不詳，暫與「金錢良日」合爲一篇。

□〔一〕：

正月二月，子秀，丑戌正陽，寅酉危陽，卯徼，辰申介，巳未陰，午㝅，亥結。二五

三月四月，寅秀，卯子正陽，辰亥危陽，巳徼，午戌介，未酉陰，申㝅，丑結。二六壹

五月六月，辰秀，巳寅正陽，午丑危陽，未徼，申子介，酉亥陰，戌㝅，卯結。二七

七月八月，午秀，未辰正陽，申卯危陽，酉徼，戌寅【介，亥丑】陰，子㝅，巳結。二八

九月十月，申秀，酉午正陽，戌巳危陽，亥徼，【子辰】介，丑卯陰，寅㝅，未結。二九

【十一月十二月，戌秀】，亥申正陽，子未危陽，丑徼，寅午介，卯巳陰，辰㝅，酉結。三〇

秀日，是胃（謂）重光，……王〔二〕。以生子，美且長，賢其等〔三〕。利見人及入畜產。可以取（娶）妻、嫁女，□三一衣常（裳）〔四〕，冠帶。

……以酓（飲）、歌（歌）樂。臨官立（蒞）正（政）相宜〔五〕。以徙官〔六〕，免，事〔七〕。以毄（繫），亟出。唯（雖）雨，三二齊（霽）〔八〕。不

可……美，有兵〔九〕。三三

正陽，是胃（謂）番昌，小事果成，大事有慶〔一〇〕，它事未小大盡吉。利以爲嗇夫，三昌。□時以戰〔一一〕，命胃（謂）三三四勝。以祠，

吉。以有爲也，美惡自成。生子，吉。可以葬。以雨，齊（霽）。亡者，不得。正月以朔〔一二〕，歲美，毋（無）兵。三五

……三徙官〔一三〕，自如〔一四〕，其後乃昌。以免，復爲〔一五〕。有病，不死。死者，有毀〔一六〕。利以解事〔一七〕。三六 ……可見人〔一八〕見人

不成。以雨，半見日。生子，子死。毋可有爲也。正月以朔，多雨，歲半入，毋（無）兵。三七

……。利以穿井、溝、竇〔一九〕，行水〔二〇〕，蓋屋，酓（飲）藥〔二一〕，外除〔二二〕。亡者，不得。不可以取（娶）妻、嫁女、出三八入畜生（牲）、爲嗇夫、臨官、酓（飲）食、歌樂、祠祀、見人，若以之，有小喪，毋（無）央（殃）。以生子，子死，不產。取（娶）妻、嫁女，兩寡相當。三九 正月以朔，多雨，□歲而枝不全〔二三〕，有兵。雨，日也〔二四〕。四〇

介日，是胃（謂）其群不拜，以辭不合（答）。私□必閉〔二五〕，有爲不果。亡者，得。利以田魚（漁）、弋獵、報讎。可以四一攻軍、圍城、始（笞）殺。可以取，不可予。吹（歌）樂、酓（飲）食。利以祠祀外〔二六〕。生子，吉。以毄（繫），亟出。唯（雖）雨，見日。正月以朔，四二旱，有歲，有小兵。四三

陰日，是胃（謂）作（乍）陰作（乍）陽，先辱後有慶。利以居室、入貨、見人、畜產。可以取（娶）妻、嫁女、葬。以祠祀，酓（飲）食，四四吹（歌）樂，吉。以爲嗇夫，久。以擊（繫），久，不免。以生子，爲盜。以入客，是胃（謂）奪主人家。正月以朔，多雨，四五齊（霽）。雨，居外者齊（霽）〔二七〕。二六貳

徹日，是胃（謂）六甲相逆〔二八〕，利以戰伐。不可見人、取（娶）妻、嫁女、出入人、畜生（牲）。祠祀、吹（歌）樂，必鬬見血。生子，子死。亡者，不得，四六必死。以擊（繫），久不已。雨，日也。正月以朔，多雨，歲美，毋（無）兵。四七

□□〔二九〕，……。正月以朝〔三〇〕，多雨，歲中，有兵。四八

【注釋】

〔一〕由於二五號簡首端殘損，篇題文字殘損，疑爲「辰」字。本篇内容與睡虎地秦簡《日書》甲種的「稷（叢）辰」，乙種「秦」一致。全篇由兩部分組成，前一部分排列叢辰八名在一年十二月中所配的日辰，後一部分説明叢辰八日的宜忌，内容與《稷（叢）辰》基本相同。《史記·日者列傳》記有叢辰家。

〔二〕缺文睡虎地秦簡《日書》甲種作「利野戰，必得侯王」。

〔三〕等，或可讀作「德」。

〔四〕「衣」上一字睡虎地秦簡《日書》甲種作「制」。

〔五〕臨官，就任官職。蒞政，處理政務。

〔六〕徙官，調動官職。

〔七〕「事」上應脱「復」字。復事，復職。

〔八〕霽，《説文》：「雨止也。」此及三五號簡「齊」字寫法比較特殊。

〔九〕此句睡虎地秦簡《日書》甲種作「不可復（覆）室、蓋屋。正月以朔旱，歲善，有兵」。

〔一〇〕有慶，有喜，有成。《國語·周語下》：「晉國有憂，未嘗不戚；有慶，未嘗不怡。」

〔一一〕『時』上一字睡虎地秦簡《日書》甲種作「佸」，整理小組注：「佸即佸字，《詩·君子于役》：『牛羊下佸。』韓詩：『佸，至也。』此字或釋爲倍，讀爲依」。

〔一二〕「正月以朔」意爲正月以之爲朔。

〔一三〕此處睡虎地秦簡《日書》甲種作「危陽，是胃（謂）不成行。以爲嗇夫，必三徙官」。

〔一四〕自如，坦然自若。

〔一五〕復爲，意同復事，指復職。

〔一六〕毀，指居喪之人極度悲哀。《孝經·喪親》「毀不滅性，此聖人之政也」，注：「哀毀過情，滅性而死，皆虧孝道。」

〔一七〕解，解除，謂祭神以求消災祛禍。《淮南子·修務》：「是故禹之爲水，以身解於陽盱之河；湯旱，以身禱於桑山之林。」解事，解除之事。

〔一八〕「可」上一字應爲「不」。

〔一九〕竇，窖穴。

〔二〇〕行，《漢書·溝洫志》「禹之行河水」，注：「行，謂通流也。」簡文「行水」疑指修建水渠之類。

〔二一〕飲藥，睡虎地秦簡《日書》甲種作「飲樂」。本條下文尚有「飲食、歌樂」之語，可證秦簡的「飲樂」當讀作「飲藥」。

〔二二〕外除，疑指除官。

〔二三〕柀，《說文》：「一曰折（析）也。」此句可能是說莊稼收成雖好，但不能保全。

〔二四〕「雨，日也」與三七號簡的「以雨，半見日」，四二號簡的「雖雨，見日」含義相當，大約指雨、日共現的天象，也有可能指雨過天晴。

〔二五〕「私」下一字，睡虎地秦簡《日書》甲種作「公」。

〔二六〕外，疑讀爲「禬」，《周禮·女祝》注：「除災害曰禬。」

〔二七〕此句原寫在二六號簡上，暫接於此。

〔二八〕古代以天干地支依次相配計算時日，六十次循環一周，是爲六十甲子。六十甲子中可有甲子、甲戌、甲申、甲午、甲辰、甲寅，是爲六甲。「六甲相逆」指六甲的地支方位相反。

〔二九〕此二字似爲「結日」。

〔三〇〕朝，義同「朔」。《荀子·禮論》注：「月朝，月初也。」又疑「朝」是「朔」的誤字。

星官〔一〕：

【八月角】，……蓋屋。取（娶）妻，妻妬〔二〕。司□〔三〕。以生……四九

亢，……□室、爲門、取（娶）妻、嫁女、入貨、生子，皆吉。五〇

九月氐，□□□□。可以出貨、畜生（牲）。不可以取（娶）妻、嫁女。司□……五一

房，利取（娶）……祠，吉。可爲室屋。以生子，富。五二

【十月】心，不可祠祀，行，凶。利以行……。以生子，人愛之。而可殺□〔四〕，可以齎史。五三

尾，百事凶。以祠祀，必有敗。不□取（娶）妻。司亡〔五〕。以生子，必貧。不可殺□。五四

箕，不可祠祀，百事凶。取（娶）妻，妻□□〔六〕。司棄〔七〕。以生子，貧富半。五五

十一月斗，利祠及行，賈市，吉。取（娶）妻，妻爲□□〔八〕。以生子，不盈三歲死。可以功（攻）伐、入奴婢，馬牛。五六

牽牛，利以祠祀及行、入貨、馬□□……□爲嗇夫妻。五七

十二月婺女，利祠祀、賈市，皆吉。以生……毋（無）辰。司命〔九〕。以亡者，不盈五歲死。不可取（娶）妻嫁女。雖它大吉，勿用。五八

虚，百事凶。以結者，易□□□□〔一〇〕。取（娶）妻，妻不到。司死〔一一〕。以生，毋（無）它同生。不可取（娶）妻、嫁女。雖它大吉，毋用。五九

【危】，……□□□數諂風雨，大凶。六〇

正月營室，利祠。不可爲室及入之。以取（娶）妻，不甯。司定〔一二〕。以生子，爲大吏。六一

東辟（壁），不可行，百事凶。司不（府）〔一三〕。以生子，不完〔一四〕。不可爲它事。六二

二月奎，利祠祀及行，吉。以取（娶）妻，妻愛而口臭〔一五〕。司寇〔一六〕。以生子，爲吏。不可穿井。六三

婁，利以祠祀及行，百事吉。以取（娶）妻，妻愛。可築室。司瘳（戮）〔一七〕。六四

【三月胃】，利入禾粟及爲囷倉，吉。以取（娶）妻，妻愛而棄。利以祠祀，復（覆）内〔一八〕，入馬牛。不可以葬。六五

【昴】，利以弋獵，賈市，吉。不可食六畜生（牲）。可以築室及閒牢。司兵〔一九〕。以生子，喜斲（鬬）。……□六〔二〇〕。六六

【四月】畢，利以弋獵，……□□，爲門，吉。以死，必二人。不可取（娶）妻，必二妻。司空〔二一〕。以生子，徃〔二二〕。亡者，得。六七

【觜觿】〔二三〕，……六八

參，百事凶。六九

五月東井，百事凶。以死，必五人，殺産，必五産。【以取（娶）妻】，多子。司家〔二四〕。以生子，旬而死。七〇

輿鬼，利祠祀及行，吉。生子，子庠（癃）。可以□□〔二五〕。七一

六月柳，百事吉。取（娶）妻吉。生子，子肥。可以冠，可【□□】，可田獵。司□□□。七二

七星，百事凶。利以垣。生子，子樂〔二六〕。不可以取（娶）妻、嫁女。唯（雖）它大吉，勿用。七三

【七月張】，……。以生子，爲邑桀（傑）。七四

【翼】，……起〔二七〕。取（娶）妻，妻棄。司臧〔二八〕。以生子，爲巫〔二九〕，男爲見（覡）。可以□門牖。七五

【軫】，……，可以築室。司家〔三〇〕。以生子，必駕〔三一〕。可以入貨。七六

……□百廿四星〔三二〕。七七

【注釋】

〔一〕「星官」是我們擬定的篇題。古代天文家把黄道（太陽和月亮所經天區）的恒星分成二十八個星座，稱爲二十八宿，四方各有七宿。《淮南子·天文》注：「東方：角、亢、氐、房、心、尾、箕；北方：斗、牛、女、虚、危、室、壁；西方：奎、婁、胃、昴、畢、觜、參；南方：井、鬼、柳、星、張、翼、軫。」本篇以二十八星宿爲占，内容與睡虎地秦簡《日書》甲種的「星」、乙種的「官」大體一致，主要占卜祭祀、娶妻、生子等方面的吉凶和命運。其星宿的起點與「星」相同，星宿前標明月份又與「官」無别。但本篇每一星宿的占文中都記載有星宿主掌之事，爲睡虎地秦簡《日書》所無；秦簡《日書》乙種名之爲「官」，應該與此有關，大概是取「星官」之意。本篇的二十八宿很可能用以紀日。本篇部分簡文殘缺，我們在釋文裏參照睡虎地秦簡《日書》補出了所缺的星宿名。

〔二〕妬，嫉妒。

〔三〕「司」下所記系星宿的職掌，疑爲「馬」字。《開元占經》卷六十引《春秋緯》：「角主兵」，與司馬相合。

〔四〕「殺」下一字疑爲「犧」字。

〔五〕《開元占經》卷六十引《石氏》：「尾、箕主後宫妃後府。」簡文云尾「司亡」、箕「司棄」，則尾、箕的職掌可能與妻室的亡、棄有關。

〔六〕此處睡虎地秦簡《日書》甲種作「妻多舌」。

〔七〕司棄，參本篇注五。

〔八〕據文例及睡虎地秦簡，此句應作「妻爲巫，司□」。

〔九〕司命，《開元占經》卷六十一引《聖洽符》：「須女者，主娶婦嫁女也。」娶婦嫁女與生命的繁衍有關，故簡文云婺女的職掌爲司命。

〔一〇〕此處睡虎地秦簡《日書》甲種作「以結者，易擇（釋）。亡者，不得」。

〔一一〕司死，《開元占經》卷六十一引《黄帝》：「虚二星，主墳墓冢宰之官。」又引《甘氏》：「虚主喪事。」

〔一二〕司定，《爾雅·釋天》「營室謂之定」，注：「定，正也。」

〔一三〕司府，《説文》「府，文書藏也」，段注：「文書所藏之處曰府。」《開元占經》卷六十一引《石氏》：「東壁，主文章圖書府。」

〔一四〕不完即不全，指人有殘疾，肢體不全。

〔一五〕臭，《史記·禮書》「載側臭茝」，《索隱》引劉氏云：「臭，香也」。

〔一六〕司寇，《淮南子·主術》注：「寇，亦兵也」。《開元占經》卷六十二引《佐助期》：「奎主武庫。」又引《石氏贊》曰：「奎主軍，兵禁不時，故置軍以領之。又曰奎主庫兵，秉統制政功以成。」

〔一七〕司數，《開元占經》卷六十二引《黄帝》：「（婁）一名天府，郊太牢也。」又引《孝經章句》：「婁，市也」；巫咸曰：「婁爲天獄。」太牢、天獄皆與殺伐有關。古代經常在集市上

處决犯人，「市」亦與殺戮有關。

〔一八〕覆内，即蓋屋。

〔一九〕司兵，《開元占經》卷六十二引《西官候》：「昴，一名武，……主兵、主喪。」

〔二〇〕「六」上一字疑爲「初」。「初六」二字可能與本篇内容無關，其上似有殘存墨跡，暫附於此。

〔二一〕司空，《國語·周語中》注：「掌道路者。」《開元占經》卷六十二引郗萌曰：「畢主山河。」又引《春秋緯》：「畢爲邊界天街，主守備外國。」

〔二二〕徃，疑讀爲「眚」，《説文》：「目病生翳也。」

〔二三〕本簡據出土位置暫列於此，可能屬於觜巂。

〔二四〕司家，《開元占經》卷六十三引《懸象説》：「井，女主之象也。」又引《石氏贊》：「東井八星，主水衡。井者象法，水法水平定，執性不淫，故主衡。」古稱夫或妻爲家，則此「司家」可能是説井宿所掌係家内之事。

〔二五〕□□，睡虎地秦簡《日書》甲種作「送鬼」。送鬼，送走鬼神。

〔二六〕樂，可能指樂工。《論語·微子》：「齊人歸女樂，季桓子受之，三日不朝。」

〔二七〕此處睡虎地秦簡《日書》甲種作「以祠，必有火起」。

〔二八〕臧，疑讀爲「倡」。《開元占經》卷六十三引《石氏》：「翼，天樂府也。」又引《石氏贊》：「翼主天倡。」

〔二九〕「爲」字前可能訛脱了「女」字。古稱女巫爲巫，男巫爲覡。

〔三〇〕司家，這裏的家指朝廷、帝王。《吕氏春秋·貴卒》注：「公家，公之朝也。」《後漢書·馬融傳》注：「三家，三皇也。」《開元占經》卷六十三引巫咸曰：「軫，天子政朝也。」又引《黄帝》：「軫者，以候王者壽命。」

〔三一〕駕，疑讀爲「嘉」，《爾雅·釋詁》：「嘉，善也」。

〔三二〕此簡内容似與本篇有關，暫附於此。

擊〔一〕：

【正月 二月 三月 四月 五月 六月】七月 八月 九月 十月 十一月【十二月】七八

【寅 卯 辰 巳 午 未】[申] 酉 戌 亥 子 丑 擊昏〔二〕七九

【卯 辰 巳 午 未 申】[酉] [戌] [亥] 子 丑 寅 擊夕〔三〕八〇

【辰 巳 午 未 申 酉 戌 亥】[子] 丑 寅 卯 擊人鄭（定）〔四〕八一

【巳 午 未 申 酉 戌】[亥] 子 丑 寅 卯 辰 擊夜半〔五〕八二

[午] [未] [申] [酉] 戌 亥 子 丑 寅 卯 辰 巳 擊夜過半 八三

未申酉戌亥子丑寅卯辰巳午擊鷄鳴〔六〕八四

申酉戌亥子丑寅卯辰巳午未擊平旦〔七〕八五

酉戌亥子丑寅卯辰巳午未申擊日出〔八〕八六

戌亥子丑寅卯辰巳午未申酉擊食時〔九〕八七

【子丑寅卯辰巳】午未申酉戌亥擊日失（昳）〔一〇〕八八

【丑寅卯辰巳】午未申酉戌亥子擊日入〔一一〕八九

【注釋】

〔一〕「擊」是我們擬定的篇題。本篇講述一年十二個月中，每月十二支日斗所擊的時段。與十二支相應，所記共十二時，但它採納的似乎是十六時制，時名多與放馬灘秦簡《日書》甲種「生子」篇的十六時名相合。本篇的性質或許與睡虎地秦簡《日書》甲種的「玄戈」篇有相通之處。若此推測不誤，本篇所述可能與斗建有關，十二時亦可能指代方位。據文例，八七、八八號簡之間缺失一簡，簡文或作「亥子丑寅卯辰巳午未申酉戌擊日中」。

〔二〕昏，放馬灘秦簡《日書》甲種「昏時」在「日入」之後，「暮食」之前。

〔三〕夕，即放馬灘秦簡《日書》甲種的「暮食」，在「夜暮」之前。

〔四〕人定，即放馬灘秦簡《日書》甲種的「夜暮」，在「夜半中」之前。

〔五〕夜半，放馬灘秦簡《日書》甲種的「人定」與「雞鳴」之間有「夜半中」、「夜中」、「夜過中」三個時段。「夜半」當即「夜中」，下簡「夜過半」即「夜過中」。

〔六〕鷄鳴，放馬灘秦簡《日書》甲種在「夜過中」之後，「平旦」之前。

〔七〕平旦，「鷄鳴」之後，「日出」之前，指天明而日未出的一段時間。

〔八〕日出，放馬灘秦簡《日書》甲種在「平旦」之後，「夙食」之前。

〔九〕食時，相當於放馬灘秦簡《日書》甲種的「夙食」，在「日中」之前。

〔一〇〕日昳，日正中之後西側時。《說文新附》：「昳，日昃也。」《說文》：「昃，日在西方時，側也。」放馬灘秦簡《日書》甲種的「日中」與「日入」之間有三個時段，即「日西中」、「日西下」、「日未入」。

〔一一〕日入，放馬灘秦簡《日書》甲種在「日未入」之後，「昏時」之前。

刑德〔一〕：

……□□及至德所在乃可治也〔二〕。九〇

正　月：刑在堂，德【□□】〔三〕。九一壹

二　月：刑在【□，□□□】〔四〕。九二壹

三　月：刑在門，德在巷。九三壹

四　月：刑在巷，德在術〔五〕。九四壹

五　月：刑在術，德在野。九五壹

六　月：刑德並在術。九六壹

七　月：刑在術，德在野。九一貳

八　月：刑在巷，德在術。九二貳

【九月】：刑在門，德在巷。九三貳

【十月】：刑在[疒廷]（庭），德在門。九四貳

十一月：刑在堂，德在[疒廷]（庭）。九五貳

十二月：刑德並在堂。九六貳

【注釋】

〔一〕「刑德」是我們擬定的篇題。刑德是推算陰陽吉凶的擇日之術。《淮南子·天文》記有「刑德七舍」，主要用以表示陰陽之氣的消長。七舍中門爲刑德相合之舍，室、野，堂、術，庭、巷則固定搭配，兩兩對沖，互爲刑德。其文云：「陰陽刑德有七舍。何謂七舍？室、堂、庭、門、巷、術、野。十二月德居室三十日，先日至十五日，後日至十五日，而徙所居各三十日。德在室則刑在野，德在堂則刑在術，德在庭則刑在巷，陰陽相德則刑德合門。八月二月，陰陽氣均，日夜分平，故曰刑德合門。德南則生，刑南則殺，故曰二月會而萬物生，八月會而草木死。兩維之間，九十一度十六分之五而升，日行一度，十五日爲一節，以生二十四時之變。」本篇「刑德」具體內容與《天文》有別。篇中所述刑德只有六舍，一至五月按堂、庭、門、巷、術、野的順序依次兩兩相配，互爲刑德。其他則七月如五月，八月如四月，九月如三月，十月如二月，十一月如正月，六月、十二月刑德相合。按文例，六月、十二月刑德相合之舍應該相同，但原文一合術，一合堂。

〔二〕本簡位置暫定。

〔三〕據文例，缺文可補作「在庭」。

〔四〕據文例，缺文可補作「庭，德在門」。

〔五〕術，街道、道路。《說文》：「邑中道也。」

徙時〔一〕

正月五月九月，西北啓光，正北吉昌〔二〕，東死亡，東南䟷（鬭），正南別離，西南執辱，正西卻逐〔三〕。九七

二月六月十月，東北啓光，正東吉昌，東南反鄉，正南死亡，西南䟷（鬭），正西別離，西北執辱，正北卻逐。九八

【三月】七月十一月，東南啓光，正南吉昌，西南反鄉，正西死亡，西北䟷（鬭），正北別離，東北執辰〈辱〉，正東卻逐。九九

四月八月，十二月，西南啓光，正西吉昌，西北反鄉，正北死亡，東北䟷（鬭），正東別離，東南執辱，正南卻逐。一〇〇

【注釋】

〔一〕「徙時」寫在九七號簡首端，是原有的篇題。全篇將一年十二個月分爲四組，按順時針方向講述行徙四維及四仲的吉凶。睡虎地秦簡《日書》甲種的「歲」、「遷徙」，乙種的「嫁子刑」，長沙馬王堆漢墓帛書的「徙」篇等性質均與之相同，都是以「歲」爲據占斷吉凶。這類文獻中的「歲」可能與《淮南子·天文》中被稱爲「大時」或「咸池」的「太歲」有關。

〔二〕據文例，此處脱「東北反鄉」四字。

〔三〕卻，即「却」，意與「逐」相當。《漢書·爰盎傳》注：「却謂退而卑之也」。卻逐，睡虎地秦簡《日書》乙種「嫁子刑」作「郄逐」。

□□〔一〕：

命曰八星，是胃（謂）孤辰，月之大伍也，咸池之敗也。取（娶）妻、嫁女、遷徙、啓門，北南西東，必擊（系）是時春秋一〇一冬夏之日，雖吉，而不見是時，其事必不久，有不成。一〇二

【注釋】

〔一〕此二字寫在一〇一號簡首端，是原有的篇題。

□生〔一〕：

水：生申，壯子，老辰。木：生亥，壯卯，老未。一〇三

火：生寅，壯午，老戌。金：生巳，壯酉，老丑。一〇四

【注釋】

〔一〕「□生」寫在一〇三號簡首端，是原有的篇題。本篇以十二支與五行之水、木、火、金的生、壯、老三階段相配，配置合於五行三合局。放馬灘秦簡《日書》乙種「五行書」有相同的内容。《淮南子·天文》等所記五行三合局增加了土行。

五勝〔一〕：

五勝：東方木，金勝木。□鐵〔二〕，長三寸，操，東〔三〕。南方火，水勝火。以簭盛一〇五水〔四〕，操，南。北方水，土勝水。操土，北，裹以布。西方金，火勝金。操炭〔五〕，長三寸，以西，纏以布。欲有一〇六□□行操此物不以時。一〇七

【注釋】

〔一〕「五勝」寫在一〇五號簡首端，是原有的篇題。本篇內容主要講述五行相勝。

〔二〕鐵，代表金。

〔三〕東，東向。

〔四〕簭，疑讀爲「齍」，《說文》段注：「黍稷器，所以祀者。」

〔五〕炭，代表火。

臨日〔一〕：

臨日：正月上旬午〔二〕，二月亥，三月申，四月丑，五月戌，六月卯，七月子，八月巳，九月寅，十月未，十一月辰，十二月酉，帝以此日開一〇八臨下降央（殃）〔三〕，不可遠行、畬（飲）食、歌（歌）樂、取（聚）衆〔四〕、畜生（牲），凡百事皆凶。以有爲〔五〕，不出歲，其央（殃）小大必至。以有爲而一〇九遇雨，命曰央（殃）蚤（早）至〔六〕，不出三月，必有死亡之志〔七〕。凡舉事，苟毋直（值）臨日，它雖不吉，毋（無）大害。以生子不〔八〕一一〇

【注釋】

〔一〕一〇八號簡簡首殘缺，原文有無篇題不詳，「臨日」是我們擬定的篇題。本篇講述臨日不可有爲，百事皆凶。睡虎地秦簡《日書》甲、乙種均有相近的內容，其中甲種標有篇題「行」。《星曆朔源》卷四、《協紀辨方書》卷六都有「臨日」一項，「臨日」月份和地支的搭配與本篇大體相同。

〔二〕本篇只在正月注明「上旬」，其餘月份將二字省略。

〔三〕帝，睡虎地秦簡《日書》作「赤帝」，五色帝之一，南方之神。

〔四〕衆，睡虎地秦簡《日書》甲種脱，乙種訛作「具」。

〔五〕「爲」字形體略有訛誤。

〔六〕命，命名。

〔七〕志，《禮記·檀弓上》「孔子之喪，公西赤爲志焉」注：「志謂章識。」《集解》：「葬之有飾，所以表識人之爵行，故謂之志。」

〔八〕本篇睡虎地秦簡《日書》乙種至「害」字結束，此四字與何簡相連不明。

時〔一〕：

正月，小時居寅，大時[居]卯，不可東徙。一一一壹

二月，小時居卯，大時居子，不可北徙。一一二壹

三月，小時居辰，大時居酉，不可東〈西〉徙。一一三壹

四月，小時、大時竝居南方，不可南徙。一一四壹

五月，小時居午，大時居卯，不可東南徙。一一五壹

……[徙]。一一六壹

[徙]。……一一七壹

……徙。一一八壹

……徙。一一九壹

……[可]北徙。一二〇壹

……[不]可西北徙。一二一壹

……一二二壹

【注釋】

〔一〕「時」寫在一一一號簡首端，是原有的篇題。本篇所記小時、大時，見於《淮南子·天文》，其云：「斗勺爲小歲，正月建寅，月從左行十二辰。咸池爲太歲，二〈正〉月建卯，月從右行四仲，終而復始。大時者，咸池也；小時者，月建也。」小時正月建寅，斗柄從寅開始左旋，經卯、辰、巳、午、未、申、酉、戌、亥、子、丑，復至於寅，月徙一辰。大時正月建卯，太歲（咸池）從卯開始右行，經子、酉、午，復至於卯，月徙一仲。二者均積月成歲，終而復始。被稱爲大時或咸池的太歲是凶神，所在方位不可徙往。據文例，六至十二月的文字可能分别作：「六月，小時居未，大時居子，不可……徙」，「七月，小時、大時竝居西方，不可西徙」，「八月，小時居酉，大時居午，不可西南徙」，「九月，小時居戌，大時居卯，不可……徙」，「十月，小時、大時竝居北方，不可北徙」，「十一月，小時居子，大時居酉，不可西北徙」，「十二月，小時居丑，大時居午，不可……徙」。

徙〔一〕：

夏六月，咸池以辛酉徙西方。居四旬五日以丙午徙一一一貳[南]方。居九日以乙卯徙東方。居五旬七日以壬子徙北方。一一二貳居九日，有（又）以[辛]……〔二〕。一一三貳大時右行閒二，小時左行毋數，正月建寅左行〔三〕。建一一四貳所當爲衝日，卒衝前爲飄，後爲敗。是日毋可有爲也。一一五貳

【注釋】

〔一〕「徙」寫在一一一號簡上，是原有的篇題。本篇與「時」篇密切相關，所記爲咸池行徙四仲之事。咸池自六月辛酉徙西方始，至丙午徙南方，乙卯徙東方，壬子徙北方，復至辛酉徙西方，共用時一百二十天，正合「時」篇所記「大時」行徙四仲一周，用時四月。在式圖上，酉、午、卯、子正位於西、南、東、北四方。簡文所記咸池在每仲的居留時間有長有短，並不完全一致。

〔二〕據文例，此處缺失「酉徙西方」四字。

〔三〕這句話的意思是說大時正月建卯右行，間隔兩次，月徙一仲。小時正月建寅左行，依次行徙，月徙一辰。

孤虛〔一〕：

甲子旬〔二〕，辰巳虛，虛在東南；戌亥孤，孤在西北〔三〕。一一六貳

甲戌旬，寅卯虛，虛在東方；申酉孤，孤在西方。一一七貳

甲申旬，子丑虛，虛在北方；午未孤，孤在南方。一一八貳

甲午旬，戌亥虛，虛在西北；辰巳孤，孤在東南。一一九貳

甲辰旬，甲酉虛，虛在西方；寅卯孤，孤在東方。一二〇貳

甲寅旬，午未虛，虛在南方一二一貳方〔四〕；子丑孤，孤在北方。一二二貳

凡取（娶）妻嫁女，一一六叁毋從孤之虛，一一七叁出不吉。從虛一一八叁之孤，殺夫。一一九叁

【注釋】

〔一〕「孤虛」是我們擬定的篇題：孤虛是占卜推算日辰之法：天干爲日，地支爲辰，日辰不全爲孤虛，孤虛之日主事不成。《漢書·藝文志》記有《風后孤虛》二十卷。《史記·龜策列傳》「日辰不全，故有孤虛」，《集解》：「六甲孤虛法：甲子旬中無戌亥，戌亥爲孤，辰巳即爲虛。甲戌旬中無申酉，申酉爲孤，寅卯即爲虛。甲申旬中無午未，午未爲孤，子丑即爲虛。甲午旬中無辰巳，辰巳爲孤，戌亥即爲虛。甲辰旬中無寅卯，寅卯爲孤，申酉即爲虛。甲寅旬中無子丑，子丑爲孤，午未即爲虛。」所記與本篇相同。本篇又將孤虛與方位相配，孤虛所在方位亦主事不吉。

〔二〕六十甲子中有六甲，每甲依次相隔十天，故六甲可分爲甲子、甲戌、甲申、甲午、甲辰、甲寅等六旬。

〔三〕戌亥爲孤，辰巳則爲虛。在式圖上，戌亥位於西北，辰巳位於東南，孤虛的方位恰好相反。其餘各簡所記類同。

〔四〕方，衍字。

反支〔一〕：

【子朔，巳、亥反】支。一二三貳

【丑朔，午、子反】支。一二四貳

寅朔，午、子反支。一二五貳

【卯】朔、未、丑反支。一二六貳

辰朔，未、丑反支。一二七貳

巳朔，申、寅反支。一二八貳

午朔，申、寅反支。一二九貳

未朔，酉、卯反支。一三〇貳

申朔，酉、卯反支。一三一貳

酉朔，戌、辰反支。一三二貳

戌朔，戌、辰反支。一三三貳

亥朔，亥、巳反支。一三四貳

反支：反支日，入一出百，出一入百。求反支日，先道朔日始〔二〕，數其雌也。從亥始數，一三五壹右行雄也。從戌先行前□其□□□□□□□□□衛。一三六壹前自得，爲有事；後自得，爲事已。一三七壹

【注釋】

〔一〕「反支」寫在一三五號簡首端，是原有的篇題。本篇內容主要講解反支日的推算。睡虎地秦簡《日書》甲種有「反支」一篇，其對反支日的規定與本篇略有差異。《後漢書·王符傳》：「公車以反支日不受章奏」李賢注所引《陰陽書》中有關反支日的規定亦不全。本篇還對反支日的吉凶情況作了說明。

〔二〕道，從也。

日廷〔一〕：

（圖一 一二四壹—一三四壹）〔二〕

日廷

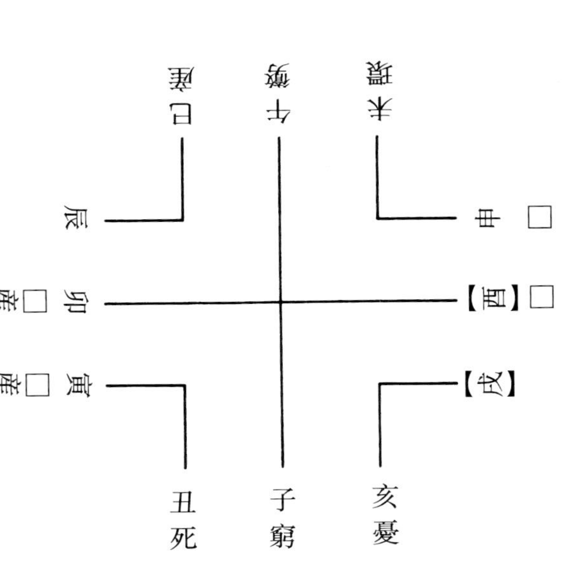

【注釋】

〔一〕「日廷」，寫在一二九號簡首端，是原有的篇題。《論衡·詰術》：「日廷圖甲乙有位，子丑亦有處，各有部署，列布五方，若王者營衛，常居不動。」日廷圖的基本格局是一種干支方位配置的模式。考慮圖一以及圖二、圖三的基本結構一致，故將三圖一並歸入「日廷」篇。

〔二〕圖一中十二支下的文字是配圖的吉凶之語。

申七月
酉八月
戌九月
未六月
【午五月】
巳四月
辰三月
卯二月
寅正月
亥十月
子十一月
丑十二月

（圖二　一二三叁—一二六叁，一三〇肆，一三四叁，一三五貳—一三七貳）〔一〕

斗擊（繫）〔二〕：一二九叁直前者死，一三〇叁直後者不死〔三〕。一三一叁以此與日色少長相參〔四〕，相中乃可用也〔五〕。一三二叁

【注釋】

〔一〕圖二在原簡上不太規整。本圖將十二月與分處四方的十二地支相配，可能是説明歲徙十二月各月的辰位處向。如正月在寅，十一月在子。《淮南子·天文》：「北斗之神有雌雄，十一月始建於子，月從〈徙〉一辰。雄左行，雌右行。五月合午謀刑，十一合子謀德。」

〔二〕擊，疑讀爲「繫」，維繫、拘束的意思。《史記·天官書》：「斗爲帝車，運於中央，臨制四鄉。分陰陽，建四時，定諸紀，皆繫於斗。」又《漢書·藝文志》：「陰陽者，順時而發，推刑德，隨斗擊，因五勝，假鬼神而爲助者也。」

〔三〕《淮南子·天文》：「合於歲前則死亡，合於歲後則無殃。」與簡文「直前者死，直後者不死」意近。

〔四〕日色少長，指晝夜消長。相參，相配。《國語·越語下》：「夫人事必將與天地相參，然後乃可以成功。」

〔五〕中，《禮記·月令》「律中大蔟」，注：「中，猶應也。」相中，相合。

（圖三一二一叁—一二三叁，一二三肆—一二五肆，一三〇伍，一三三叁，一三四肆，一三五叁—一三七叁）〔一〕

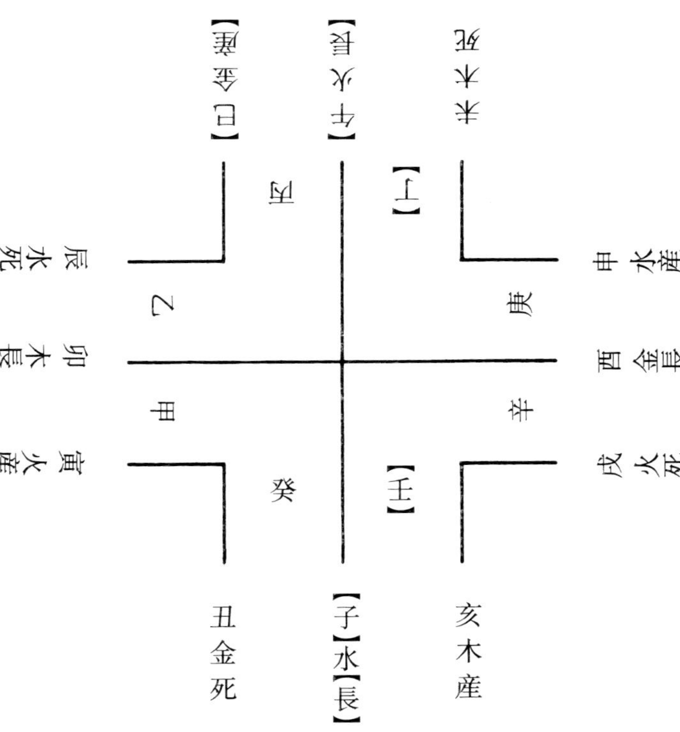

【注釋】

〔一〕《淮南子·天文》有與圖三類似的插圖。《淮南子·天文》云：「天地以設，分而爲陰陽。陽生於陰，陰生於陽。陰陽相錯，四維乃通。或死或生，萬物乃成。……天有四時以制十二月，……天有十二月以制三百六十日，……故舉事而不順天者，逆其生者也。」

歸行〔一〕：

……□□不可從遠行歸，必死。一四一壹

……亥午丙申，在行不可歸，在室不可行，是胃（謂）歸，死；一四二壹行，亡。一四三壹

春三月乙丑，夏三月丙辰，秋三月辛未，冬三月壬戌，一四四壹不可遠行。一四五壹

【注釋】

〔一〕「歸行」是我們擬定的篇題。本篇講述歸行避忌，與睡虎地秦簡《日書》甲種「歸行」有相近之處。

到室〔一〕：

千里外毋以丙丁到室，五百里外毋以壬戌、癸亥到室。一四六壹十里外□□□□□、丁亥、壬戌、癸亥行及歸。一四七壹丙申、丁亥、戊申、戊戌、六日、旬二，龍日也〔二〕，以到室，有客〔三〕。一四八壹西大母以丁酉西不反（返）〔四〕，緰以壬戌北不反（返）〔五〕，禹以丙戌南不一四九壹反（返）〔六〕，女過（媧）與天子以庚東不反（返）〔七〕。子日忌不可行及歸，歸、到、行，亡。一五〇壹

【注釋】

〔一〕「到室」是我們擬定的篇題。本篇講述到室避忌，與睡虎地秦簡《日書》甲種「到室」，乙種「行者」、「行忌」有相近之處。

〔二〕龍，義同「忌」。《淮南子·要略》：「操舍開塞，各有龍忌。」睡虎地秦簡《日書》甲種的「禾忌日」，乙種稱「五穀龍日」。

〔三〕客，讀法待考，或疑其後有脱文。

〔四〕西大母，疑指傳説中的西王母。

〔五〕緰，人名，待考。

〔六〕傳説禹南巡至會稽而亡。《史記·太史公自序》「二十而南游江淮，上會稽，探禹穴」，《集解》引張晏曰：「禹巡狩至會稽而崩，因葬焉。」

〔七〕天子，疑指伏羲。「庚」字後脱漏了地支。

窮日〔一〕：

禹窮日，入月二日、七日、九日、旬三、旬八、二旬二日、二旬五日，不可行。一五一壹

【注釋】

〔一〕「窮日」寫在一五一號簡首端，是原有的篇題。傳世文獻裏的窮日指癸亥日：以甲子日推而周行，至癸亥終一甲，故稱癸亥爲窮日。《後漢書·鄧禹傳》：「明日癸亥，匡等以六甲窮日不出。」本篇的窮日與之無關，但二者命名内涵相通，窮日均不宜出行。簡文又稱窮日爲「禹窮日」，是將窮日之説假託於禹。

亡日〔一〕：

正月七日、二月旬四、三月二旬一、四月八日、五月六日〔二〕、六月二旬四日、七月九日，凡此日亡，不得。一五二壹 八月旬八、九月二旬七日、十一月二旬〔三〕，以此[日][亡]，[必]得，不得，必死。一五三

【注釋】

〔一〕「亡日」寫在一五二號簡首端，是原有的篇題。本篇與睡虎地秦簡《日書》乙種「亡日」、「亡者」等性質一致，很可能是爲逃亡者趨吉避凶所設，但二者具體内容稍有差異。又睡虎地秦簡《日書》甲種「歸行」所述歸行的忌日，與本篇「亡日」的日期相同。

〔二〕「六」字前脱一「旬」字。

〔三〕簡文所述正月至三月，四月至六月，七月至九月的亡日分别是七、八、九的倍數；十一月的亡日是十的倍數，那么十月至十二月的亡日應是十的倍數。簡文可能脱漏了「十月旬」、「十二月三旬」兩句。

亡者〔一〕：

……□[酉]亡者，自夜半到日中，丁者不得〔二〕，老弱得；自日中到夜半，丁者得，老弱不得。一五四

……[者]得，老弱不得；自日中到夜半，丁者不得，老弱得。一五五

……[到]日中，丁者、老弱皆得；自日中到夜半，丁者、老弱皆不得。一五六壹

癸亥亡，死。一五六貳

【注釋】

〔一〕「亡者」是我們擬定的篇題。本篇將一日分爲「夜半到日中」、「日中到夜半」兩個時段，亡者分爲「丁者」與「老弱」兩類，以判斷不同的亡者，在不同時段内逃亡的結果。

〔二〕丁者，《史記·律書》：「丁者，言萬物之丁壯也。」本篇丁者與老弱相對而言，指能够擔任賦役的成年人。

離日〔一〕：

（圖一三九貳—一四九貳）〔二〕

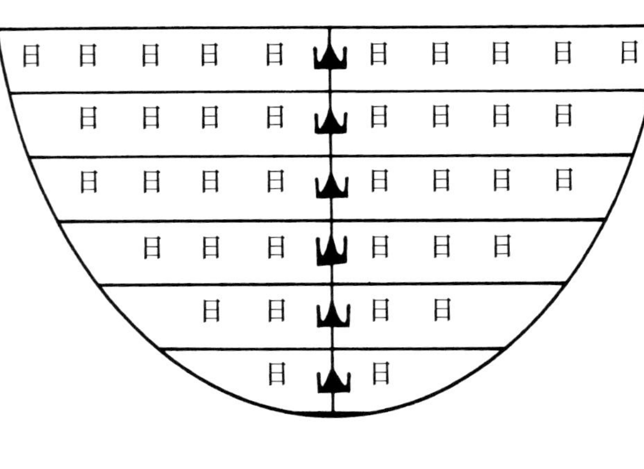

是胃（謂）根山禹離日也〔三〕。一三九叁數從上右方數朔初〔四〕，日及一四〇叁字（支）各居一日〔五〕。盡，複道上右一四一叁方數〔六〕。日與字（支）夾根山一四二叁是胃（謂）離日〔七〕。離日不可取（娶）妻，嫁女及入人、畜生（牲）、貨。一四四叁可分異一四五叁

【注釋】

〔一〕「離日」是我們擬定的篇題。本篇講述「離日」的推算及其宜忌。睡虎地秦簡《日書》也有與此類似的篇目，內容大同小異。

〔二〕本圖倒數第二列殘缺，此據圖例補。

〔三〕根山，睡虎地秦簡《日書》作「艮山」。

〔四〕朔初，指歲首之月的朔日。

〔五〕支，指反支日。關於反支日，請參看本書「反支」篇注釋。

〔六〕道，《管子·禁藏》「故凡治亂之情，皆道上始」，注：「道，從也。」

〔七〕夾，夾持，即從兩旁相夾。《後漢書·王龔傳》：「實有折枝之易，而無挾山之難。」挾、夾，一字分化。

來〔一〕：

甲乙行，戊己來，不來，復到甲乙，一四六叁不來廿一日〔二〕。丙丁行，庚辛來，不來，一四七叁復到丙丁廿一日〔三〕。戊己行，壬癸來，一四八叁不來，復到戊己，不來廿一日。庚一四九叁辛行，甲乙來，不來，復到庚辛，一五〇貳不來廿一日。壬癸行，丙丁來，不來，一五一貳復到壬癸，不來廿一日。一五二貳

【注釋】

〔一〕「來」是我們擬定的篇題。《玉篇》：「來，歸也。」本篇主要運用五行相勝的原理來規定出行後來歸的適宜之日。如甲、乙屬東方木，戊、己屬中央土，五行相勝木勝土，那么甲、乙之日離家出行，戊、己之日當宜來歸。本篇內容與前面的「離日」可能有關。

〔二〕此句可能是說到與出行之甲乙日相隔二十一天的甲乙日來歸。

〔三〕「丙丁」後脱漏「不來」二字。

禹須臾行日〔一〕：

……□中夜南吉。一五九壹

吉。一六〇壹

吉，昏北吉，中夜東吉。一六一壹

入月十一日、十二日、十三日、十四日、十五日、十六日、十七日、十八日，旦東吉，日一六二壹中南吉。一六三壹昏西吉，中夜北〔二〕。一六二叁

入月十九日、廿一日、廿二日、廿三日、廿四日、廿五日，旦北吉，日中東吉，一六四壹昏南吉，中夜西吉。一六五壹

入月廿六日、廿七日、廿八日、廿九日、卅日，旦西吉，日中北吉，昏東吉，一六六壹中夜南吉。一六七壹

【注釋】

〔一〕「禹須臾行日」是我們擬定的篇題。一五八號簡的上段可能書有篇題，惜已殘缺。須臾，《後漢書·方術傳》注：「陰陽吉凶立成之法也。」禹須臾，是將須臾之術託名於禹。本篇是爲行者選擇出行吉時而指示的立成之法。它將一日分旦、日中、昏、中夜等四個時段進行占斷，內容與放馬灘秦簡《日書》甲種的「禹須臾行日」篇大體相符。據本篇殘文及秦簡，一五九壹至一六一壹的文字或可補作「入月一日、二日、三日，旦西吉，日中北吉，昏東吉，中夜南吉」「入月四日，旦西吉，日中南吉，昏北吉，中夜東吉」「入月五日、六日、七日、八日、九日、十日，旦南吉，日中西吉，昏北吉，中夜東吉」。

〔二〕「北」後脱「吉」字。

行日〔一〕：

……七月辛，八月丁，九月己，十月一六八壹

……一六九壹

……一七〇壹

……□出一七一壹

【注釋】

〔一〕「行日」是我們擬定的篇題。

見人〔一〕：

【□□】甲午〔二〕，三月乙酉，四月丙子，六月丁丑，七月甲子，十月壬午，十二月癸一五七貳未，以見人，必得志。一五八貳

【注釋】

〔一〕「見人」是我們擬定的篇題。本篇講述見人的吉日，與睡虎地秦簡《日書》乙種「見人」篇相近。

〔二〕據睡虎地秦簡《日書》乙種「見人」篇，缺文係「正月」二字。

禹須臾所以見人日〔一〕：

禹須臾所以見人日：一五九貳

子旦吉，晏食凶，日中吉，日失（昳）吉，夕日吉。一六〇貳

丑旦凶，晏食吉，日中凶，日失（昳）凶，夕日吉。一六一貳

寅旦凶，晏食吉，日中凶，日失（昳）吉，夕日吉。一六二貳

卯旦凶，晏食吉，日中吉，日失（昳）吉，夕日凶。一六三貳

辰旦凶，晏食吉，日中凶，日失（昳）凶，夕日吉。一六四貳

[巳旦凶]，晏食吉，日中凶，日失（昳）〔二〕，夕日可。一六五貳

午旦凶，晏食凶，日中吉，日失（昳）凶，夕日凶。一六六貳

未旦吉，晏食可，日中凶，日失（昳）吉，夕日凶。一六七貳

申旦吉，晏食凶，日中吉，日失（昳）吉，夕日凶。一六八貳

酉旦吉，晏食凶，日中吉，日失（昳）吉，夕日凶。一六九貳

戌旦凶，晏食凶，日中吉，日失（昳）吉，夕日凶。一七〇貳

亥旦可，晏食凶，日中吉，日失（昳）凶，夕日可。一七一貳

【注釋】

〔一〕「禹須臾所以見人日」寫在一五九號簡上，是原有的篇題。本篇講述十二支日見人的吉凶，將各日的白晝劃分爲旦、晏食、日中、日昳、夕日等五個時段進行占斷，內容與放馬灘秦

簡《日書》甲種的「禹須臾所以見人日」篇大體相符。

〔一一〕「日失」後脱占辭，放馬灘秦簡《日書》甲種釋文作「凶」。

嫁女〔一〕：

春三月戌，夏三月丑，秋三月辰，冬三月未，來妻，妻入必計之〔二〕。丙午、寅利來人。己未之人室，必得女爲妻。一七二

圭（奎）、□□、營室、……[牽]牛日及庚辰、辛巳，不可取（娶）婦、嫁女〔三〕。一七三

庚寅取（娶）妻，妻□……夫。亥不可取（娶）妻、嫁女，妰夫之建，妰婦之日也。以之，不字〔四〕，夫恐死〔五〕。一七四

壬申、癸酉，百事不吉，不可取（娶）妻。一七五壹

戊申、己酉以取（娶）妻，妻不出三歲，棄、亡〔六〕。一七五貳

子取（娶）妻，有□……一七六壹

癸丑、戊午、己未以取（娶）妻，妻死，不必棄〔七〕。一七六貳

……□□取（娶）婦，其夫不出三歲，死。一七七壹

甲寅旬，此□□辰，存也，不可嫁，毋（無）子。一七七貳

甲午旬，嫁女，毋（無）辰。一七八壹

戊戌、己亥不可嫁人，始生日，夫妻相惡，乃涂奥〔八〕，乃止。一七八貳

丙申、丁酉天地相去也，庚申、辛酉溝河相去也，壬申、癸酉參辰相去也〔九〕，凡是日，不取（娶）妻、一七九嫁女及言事，不成。一八〇

戊己毋取（娶）妻，取（娶）妻[疒猒]（厭）姑一〔一〇〕。入妾，有家一八一環死，必彼（披）刑若亡〔一一〕。一八二壹

入月二旬齒爪死日也，不可哭臨、聚衆、合卒。一八三壹

【注釋】

〔一〕「嫁女」寫在一七二號簡首端，是原有的篇題。本篇講述娶妻嫁女的擇日及吉凶，睡虎地秦墓竹簡《日書》甲種有相近的內容。

〔二〕計，算計。

〔三〕睡虎地秦簡《日書》甲種云：「庚辰、辛巳，敝毛之士以取（娶）妻，不死，棄。」

〔四〕字，《説文》「乳也」，段注：「人及鳥生子曰乳。」

〔五〕此及後三簡上段的缺文可能與六甲旬日的嫁娶宜忌有關。

〔六〕睡虎地秦簡《日書》甲種云：「戊申、己酉，牽牛以取（娶）織女而不果，不出三歲，棄若亡。」

〔七〕睡虎地秦簡《日書》甲種云：「癸丑、戊午、己未，禹以取（娶）梌山之女日也，不棄，必以子死。」

〔八〕涂，《説文》杇字段注：「涂者，飾墻也。」奥，《説文》：「宛也，室之西南隅。」

〔九〕參、辰二星，分處東、西方，出没各不相見。

〔一〇〕厭，《史記·高祖本紀》索隱引《廣雅》：「鎮也。」

〔一一〕若，或。

牝牡月〔一〕：

十二月，正月，二月，六月，七月，八月爲牡月。一八四壹

……[十][一][月]爲牝月〔二〕。一八五壹

【注釋】

〔一〕「牝牡月」寫在一八四號簡首端，是原有的篇題。本篇講述牝月、牡月的劃分，睡虎地、放馬灘秦簡《日書》都有相近的内容。

〔二〕放馬灘秦簡《日書》乙種釋文作「三月、四月、五月、九月、十月、十一月爲牝月」。

牝牡日〔一〕：

……爲牡日〔二〕，牡日以死及葬，必復之〔三〕。一八六壹

……牝日〔四〕，牝日以死及葬，必復之。一八七壹

【注釋】

〔一〕「牝牡日」是我們擬定的篇題。本篇講述牝日、牡日的劃分，規定牝日、牡日不宜行喪葬之事，睡虎地、放馬灘秦簡《日書》都有相近的内容。

〔二〕睡虎地秦簡《日書》甲種作「子、寅、卯、巳、酉、戌爲牡日」。

〔三〕復之，指再次發生死葬之事。

〔四〕睡虎地秦簡《日書》甲種作「丑、辰、申、午、未、亥爲牝」。

……□吉〔一〕。一八八壹

……可以葬，不出三歲，必有五喪。一八九

……一九〇

【注釋】

〔一〕這段文字疑與牝牡日的葬事有關。

出入人〔一〕：

……丁，以入奴婢，必代主。甲寅、癸丑、壬辰、辛酉、辛卯，不可入奴婢，必代主，有室。一九一

……困可出入人。一九二

……可兩出入及殺□之〔二〕。一九三

【注釋】

〔一〕「出入人」是我們擬定的篇題。

〔二〕「之」上一字疑爲「服」，文義待考。

裁衣〔一〕：

……以裁衣，必衣絲。入月旬七，不可裁衣，不播（燔）乃亡〔二〕。一九四

……及冠必燔亡〔三〕。八月、九月、癸丑、寅、申、亥，不可裁衣常（裳），以之死。一九五

【注釋】

〔一〕「裁衣」是我們擬定的篇題。本篇講述裁衣及冠的宜忌，睡虎地、放馬灘秦簡《日書》也有講這類宜忌的文字，本篇內容與睡虎地《日書》甲種的「衣」篇較爲接近。

〔二〕燔，《玉篇》：「燒也。」

〔三〕冠，疑指初冠。

入官〔一〕：

入官，寅、巳、子、丑，吉。申，不計徙〔二〕。亥，易去〔三〕。戌，行。卯，凶。午、辰、未，辱。酉，有罪。入官毋以十月戊午、十一月亥、一九六巳，十二月子……二月甲、乙、辛、戌、亥、癸、庚寅、申，三月戊、甲、乙卯、戌、未，四月辰、巳，一九七五月丙、丁亥、乙未、巳，六月申、戌、壬、癸午，七月甲、乙、丙、未、酉，八月甲、乙、甲戌、申、寅，九月酉、丑。入月四日、七一九八日、十六日、十八日、廿六日，不可入官，不死，必庠（癃）。一九九

戊子、庚子，不可入官，辰，不可爲嗇夫，必以獄〈獄〉事免。二〇〇

入官以朔日數，直□者，直□者。二〇一壹

〔四〕二〇一貳

【注釋】

〔一〕「入官」寫在一九六號簡首端，是原有的篇題。本篇講述拜官上任的宜忌，部分内容見於睡虎地秦簡《日書》甲種。

〔二〕計，上計。不計徙，指未到上計之時而調職。

〔三〕昜，疑讀爲「傷」。

〔四〕這列圖案畫在二〇一號簡的下段，可能與簡上段的文字有關，是爲方便數入官之朔日而設。

直心〔一〕：

……正月廿一日〔二〕，二月十九日〔三〕，三月十七日〔四〕，四月十五日，五月十二日，六月十日，七月八日，二〇二八月五日，九月三日心，凡月之……二〇三

【注釋】

〔一〕「直心」是我們擬定的篇題。本篇講述各月「直心」之日，但具體含義不詳。睡虎地秦簡《日書》甲、乙種都有性質相同的内容，但各月「直心」的日期，兩地《日書》存有差異，也許是訛文所致。如果以本篇日期爲準，再根據秦簡將十至十二月的日期補足，即十月朔日、十一月廿五日、十二月廿三日（秦簡原文作「十二月二日三日」），可以發現各「直心」的日期數之間存在一定的規律：自十一月廿五日始至十月朔日終，日期數遞減，除四月和五月之間，八月和九月之間間隔日期數是三外，餘者各月間隔的日期數均爲二。

〔二〕睡虎地秦簡《日書》所記正月、十二月的日期分别是二日一日，二日三日，第一個「日」字當是「旬」字之訛。

〔三〕睡虎地秦簡《日書》作「二月九日」。

〔四〕睡虎地秦簡《日書》作「三月七日」。

四季日〔一〕：

四季日爲廢日，廢日不可有爲也。以有爲也，其事必廢。二〇四

【注釋】

〔一〕「四季日」寫在二〇四號簡首端，是原有的篇題。所謂「四季日」與睡虎地秦簡《日書》甲種「帝」篇所記的「四廢日」相當，只是範圍較小。本篇對四季日的日期没有作具體説明，據睡虎地秦簡《日書》甲種，「四季日」可能是指春三月季庚辛、夏三月季壬癸、秋三月季甲乙、冬三月季丙丁。

五子〔一〕：

五子不可以祠百鬼，利爲囷。一八二貳

五丑不可居新室，不出歲，必有死者……一八三貳

五寅利除疾。一八四貳

五辰利翠（？）紿及入臣妾。一八五貳

五巳不可食新禾黍，唯利齋史、爲囷。一八六貳

五午可入貨，貨後絶亡〔二〕。一八七貳

五未不可尌（樹）宮中，尌（樹）産[人]死〔三〕。一八八貳

五酉不可蓋室，材（裁）衣常（裳）。一九〇貳

【注釋】

〔一〕「五子」是我們擬定的篇題。本篇講述五子日的宜忌。《漢書·藝文志》記有《古五子》十八篇，注云：「自甲子至壬子，説《易》陰陽。」《初學記》文部引劉向《别録》記《古五子》：「定着十八篇，分六十四卦，着之日辰，自甲子至於壬子，凡五子，故號曰五子。」本篇所列五子不全。

〔二〕「可」字前脱「不」字。絶，死亡。睡虎地秦簡《日書》甲種九三正貳云：「午不可入貨，貨必後絶。」

〔三〕樹産人死，即樹生而人死。

土功〔一〕：

（圖一 二〇七壹—二一四壹）〔二〕

南方〔三〕

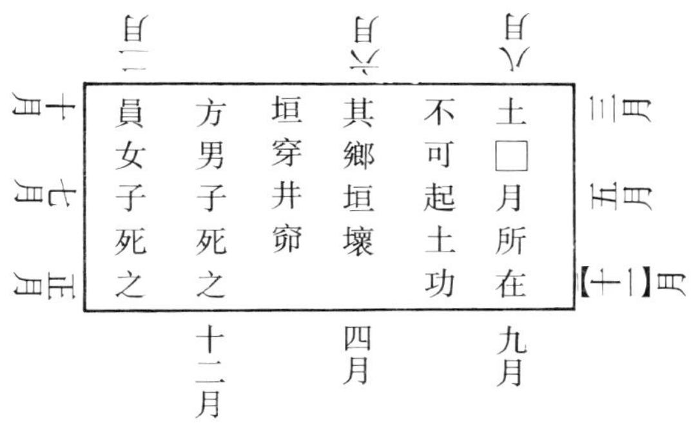

土□月所在
不可起土功
其鄉垣壞
垣穿井窌
方男子死之
員女子死之

三月 五月 【十一】月
八月 六月 二月
九月 四月 十二月
十月 七月 正月

土□月所在〔四〕，二〇八壹不可起土功。二〇九壹其鄉（嚮）垣〔五〕、壞二一〇壹垣。穿井、窌〔六〕二一一壹，方〔七〕，男子死之；二一二壹員（圓），女子死之。二一三壹

【注釋】

〔一〕「土功」寫在二〇九號簡首端，是原有的篇題。篇題「土功」之下自上往下畫有三幅圖。三圖的内容都屬土功，我們將三圖一併歸入「土功」篇。

〔二〕圖框外所列十二月，依東、南、西、北四向各分配有三月，這是説明框内文字中所説的「土□」在一年十二個月的每月所處的辰位，即正月寅，七月卯，十月辰，二月巳，六月午，八月未，三月申，五月酉，十一月戌，九月亥，四月子，十二月丑。據簡文，諸如起垣、壞垣、掘地之類的土功事，不可與「土□」當月所處辰位同。

〔三〕「南方」二字原文寫在二一一號簡首端，應是作爲其下三圖共有的方向標識。今隨圖一標出，餘下二圖略。

〔四〕「土」下一字疑作「神」。睡虎地秦簡《日書》甲種一三三號簡背云：「正月亥，二月酉，……十二月辰，是謂土神，毋起土功，凶。」

〔五〕垣，起垣。

〔六〕窌，《説文》「窖也」，段注：「《吕覽》『穿竇窌』，《月令》、《淮南》皆作『窖』。」穿井、窌，即指掘地挖洞之事。

〔七〕「方」及下文「圓」是説明「穿井、窌」開洞的形狀。

（圖二二〇六壹，二〇七貳—二一四貳）〔一〕

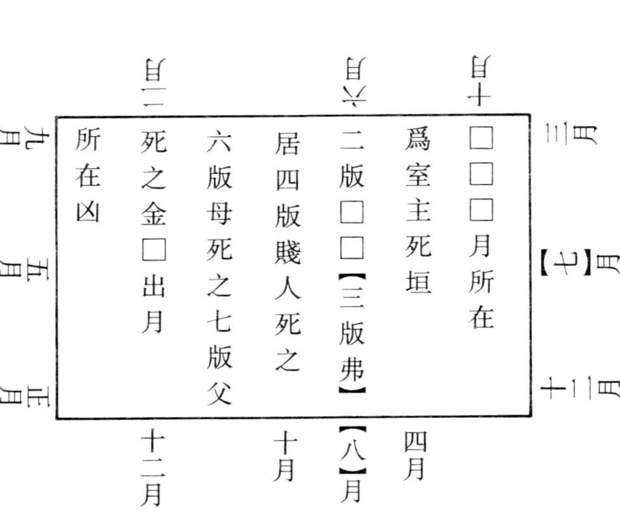

□□□月所在〔二〕，二〇七貳爲室，主死〔三〕。垣，二〇八貳二版〔四〕，□□；三版，弗二〇九貳居；四版，賤人死之；二一〇貳六版，母死之；七版，父二一一貳死之。金□出月二一二貳所在〔六〕，凶。二一三貳

【注釋】

〔一〕圖二框外原文寫有十三個月，據圖文内容，北方的「十月」疑爲衍文。西方的「十二月」當是「十一月」之誤。圖上的「七月」之「七」、「八月」之「八」原文殘泐，據圖例擬補。本圖在框外排列十二月份，其用意同圖一，亦是説明圖框内所記神煞各月所處辰位。

〔二〕「月」上三字不清，應是神煞名，其各月所處方位爲「爲室」所忌。

〔三〕主，指室主。

〔四〕版，《詩·小雅·鴻雁》「之子於垣，百堵皆作」，毛傳：「一丈爲版，五版爲堵。」

〔五〕「金」下一字疑爲「烏」。

（圖三二〇五，二〇六貳，二〇七叁—二一四叁，二一五—二一七）〔一〕

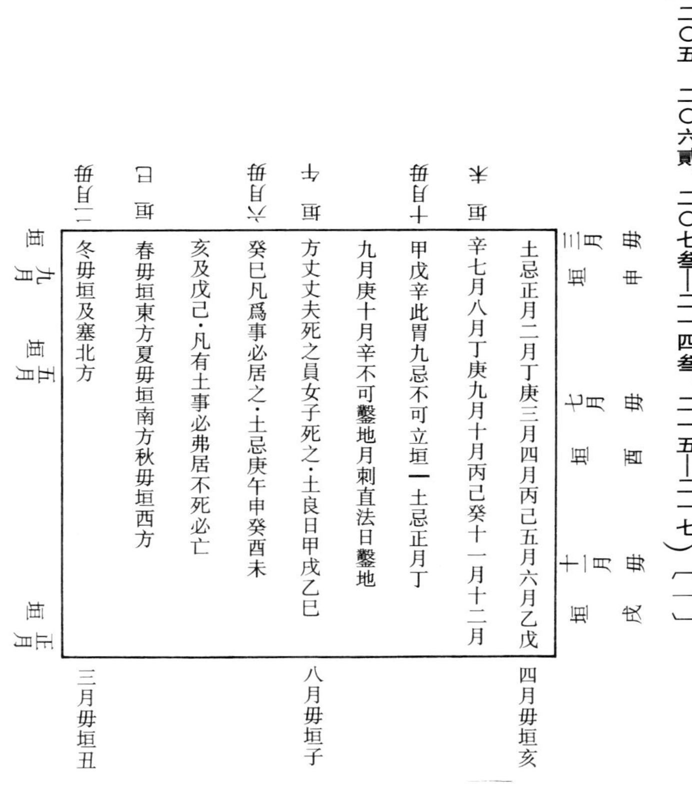

正月毋垣寅，五月毋垣卯，九月毋垣辰，二月毋垣巳，六月毋垣午，七月毋垣未，三月毋垣申，七月毋垣酉，十一月毋垣戌，四月毋垣亥，八月毋垣子，十二月毋垣丑。

土忌：正月、二月丁、庚，三月、四月丙、己，五月、六月乙、戊、二〇七叁辛，七月、八月丁、庚，九月、十月丙、己、癸，十一月、十二月二〇八叁甲、戊、辛。此胃（謂）九忌，不可立垣。

土忌：正月丁，二〇九叁九月庚，十月辛。不可鑿地，月刺直（值）法日〔二〕。鑿地二一〇叁方丈〔三〕，丈夫死之；員（圓），女子死之。

土良日：甲戌，乙巳、二一叁癸巳。凡爲事，必居之。

土忌：庚午、申〔四〕，癸酉、未、二二叁亥及戌、己。凡有土事，必弗居，不死必亡。二三叁

春，毋垣東方。夏，毋垣南方。秋，毋垣西方。二四叁冬，毋垣及塞北方〔五〕。二五壹

【注釋】

〔一〕圖三在框外四方依地支方位列有十二組文字，都是説明各月的垣忌。今按東、南、西、北之序合此十二組文爲一段，與框内文字并在一處釋文。

〔二〕月剌，神煞名，命名似與月相有聯繫。值，持也。

〔三〕簡文「丈」重文。

〔四〕申，當指庚申之日，承上文「庚午」省。

〔五〕塞，實也。《詩·豳風·七月》：「塞向墐户。」

司空〔一〕：

【正月司空在亥，大徼在寅。】二月司空在酉，大徼在巳。三月司空在未，大徼在申。四月司空在寅，大徼在亥。二八【五月司空在子，大徼在卯。六月司空在戌，大徼在午。七月司空在巳，大徼在酉。八月司空在卯，大徼在子。九月司空在二九丑，大徼在辰。十月司【空在亥，大徼在未。十一月司空】在午，大徼在戌。十二月司空在辰，大徼在丑。三〇

【注釋】

〔一〕「司空」是我們擬定的篇題。司空本是管理土建之事的職官，此借爲掌管土功事的神煞名。本篇講述的是司空、大徼在一年之内的運行情况：司空每三月一個單位，正月亥始、四月寅始、七月巳始、十月申始，逆時針右行，十五日行徙一辰，三個月行徙一方；大徼每四月一個單位，正月寅始、五月卯始、九月辰始，順時針左行，十日行徙一辰，四個月行徙一周。

穿地〔一〕：

……井、竇、溝，毀垣，以之，有罪，不居之，死。穿地大、深各三尺，方男、員（圓）女各坐之。三一

【注釋】

〔一〕「穿地」是我們擬定的篇題。

土忌〔一〕：

……乙亥、乙未、乙酉、己丑、己卯、辛亥、辛丑、乙巳。忌日，戊戌、壬戌、癸亥、己丑、丙申。二二二

……午，己酉、亥，庚辰，辛卯，戊戌，己巳，乙巳、酉，壬辰。忌日，庚戌、戊寅。二二三

……己朔，甲乙土忌；庚辛朔，丙丁土忌；壬癸朔，戊己土忌。二二四

……卯。忌：壬辰、戌，癸亥，丙午，乙巳、未，戊戌。二二五

【注釋】

〔一〕「土忌」是我們擬定的篇題。

雞〔一〕：

……□辛未，庚寅〔二〕。二二六壹

今日庚午爲雞血社〔三〕，此毋（無）央（殃）邪。雄□二二六貳□堵旬，雞毋（無）亡。老獻（？）其大者，一度南鄉（嚮）；二二七貳 東鄉（嚮）度二。酉爲雞棲〔四〕，雞不亡。二二八貳

【注釋】

〔一〕「雞」是我們擬定的篇題。

〔二〕睡虎地秦簡《日書》甲種「雞良日」條以辛未，庚寅爲雞忌日。

〔三〕雞血社，意爲用血祭社。

〔四〕棲，雞巢。

豕〔一〕：

豕良日，丁丑、□，己巳、亥，丙辰。忌，丙午，乙巳，壬辰，癸未、巳。二二七壹 五月庚寅□一爲□爲百。二二八壹

【注釋】

〔一〕「豕」寫在二二七號簡首端，是原有的篇題。本篇所述豕的良日、忌日，與睡虎地秦簡《日書》「猪良日」條差別較大。

囷〔一〕：

囷良日，甲午，乙未、巳。忌，己丑、癸丑。二二九

【注釋】

〔一〕「囷」寫在二二九號簡首端，是原有的篇題。囷，倉。

井〔一〕：

井良日，辛巳、辛丑。忌，五卯、五亥、丁酉、乙巳。二三〇

【注釋】

〔一〕「井」寫在二三〇號簡首端，是原有的篇題。

……未、酉、□□、丁□、丙戌，爲□。忌辛、壬〔一〕。二三一

【注釋】

〔一〕這條講良、忌日的簡文所指對象不明。

屏圂〔一〕：

屏圂良日，戊寅、辰、申、戌。己丑、癸□□爲屏圂。二三二

【注釋】

〔一〕「屏圂」寫在二三二號簡首端，是原有的篇題。屏，《集韻·徑韻》：「偃厠。」圂，《玉篇》：「豕所居也。」屏圂，指厠所和猪圈。睡虎地秦簡《日書》乙種講屏圂的吉日是「戊寅、戊辰、戊戌、戊申」，與本簡相同；忌日是「己丑、癸丑」，據之，本簡最後一句話可能是「己丑、癸丑，忌爲屏圂」。

入内〔一〕：

入内良日，丁未，甲午，乙丑，己□，□□□，五酉、辰、丑〔二〕，收日。忌，戊寅、辛、壬、癸。二三三

……南方□〔三〕，以北□□□。從東方□，以西以土，胃去□吏發者有二三四央（殃），城郭不居。家人如此〔四〕。二三五

【注釋】

〔一〕「入内」寫在二三三號簡首端，是原有的篇題。内，房屋。

〔二〕辰、丑，五辰、五丑。

〔三〕「方」下一字疑爲「引」字。

〔四〕這段話可能是講入内方向的宜忌。

天刺〔一〕：

天刺，凡朔日，六月六日、七日，望，十八日，廿二日，此天刺，不可祠及殺〔二〕。二三六壹

寅不可祠。二三六貳

……祠及殺。二三七

【注釋】

〔一〕「天刺」是我們擬定的篇題。天刺，神煞名。

〔二〕得福報賽曰祠。

殺日〔一〕：

戊午不可殺牛。乙丑可以殺犬。子不可殺雞。二三八

壬辰不可殺豕。戊己殺彖〔二〕，長子死。入月旬七日以殺彖，必有死之。二三九

【注釋】

〔一〕「殺日」寫在二三八號簡首端，是原有的篇題。這段文字講述殺牲的忌日。睡虎地秦簡《日書》甲種「帝」篇有「殺日」條，云「殺日，勿以殺六畜」。

〔二〕彖，《説文》：「豕也。」

土功事〔一〕：

入月旬，不可操土功事，命胃（謂）黄帝。十一月先望日〔二〕、望日、後望一日毋操土功，此土大忌也。二四〇

正月、二月壬癸，三月、四月甲乙，五月、六月丙丁、戊己，七月、八月丙丁，九月、十月庚辛及星自虚至東辟（壁）、甲申、乙酉，不可操土功。二四一

【注釋】

〔一〕「土功事」是我們擬定的篇題。

〔二〕先望日，即先望一日，月圓的前一天。

垣〔一〕：

春三月辰，夏巳〔二〕，秋申，冬未，不可垣。二四二

春三月甲乙、夏丙丁、秋庚辛、冬壬癸築室，必或死之。二四三

春甲申及上旬甲乙不可垣東方，夏丙申及上旬丙丁、酉不可垣南方，秋庚申、上旬庚辛不可垣西方，冬二四四壬申、上旬壬癸不可垣北方〔三〕。二四五

【注釋】

〔一〕「垣」是我們擬定的篇題。

〔二〕夏巳，「夏三月巳」之省，秋申、冬未文例同。

蓋屋、築室〔一〕：

蓋屋良日，卯、未、丑，皆吉。⿱𥫗悤（築）室良日，乙丑、己亥、壬寅、丁酉、丁丑、辛、癸未。二四六

正月二月午，三月四月申，五月六月戌，七月八月子，九月十月寅，十一月十二月辰，不可築室。築室，大人死〔二〕；右序，長子死；左序，中子死。二四七

春丁丑、己丑、辛丑、癸巳；夏乙巳、亥、酉，己巳、亥、酉；秋乙丑、巳、未，己未，丁丑、未；冬丁巳、亥、酉、巳〔三〕，己丑，利築室。二四八

【春毋築東鄉（嚮）室】，夏毋築南鄉（嚮）室，秋毋築西鄉（嚮）室，冬毋築北鄉（嚮）室，爲之或死之。二四九

……□利蓋屋。二五〇

……□申、壬辰，秋三月丁□、□□，冬三月壬戌、甲寅，此八桼，不可蓋屋，不出三月〔四〕二五一

……可⿰彳務屋〔五〕。二五二

……□爲高，爲之或死。二五三

……可涂室，或死之。二五四

……大主弗居。二五五

……一人死之。二五六

……□所在，不可興土攻（功）。二五七

……北鄉（嚮）。二五八

…… 二五九

……□□辰、寅，丁亥，□□□稷大稗□各皇□。二六〇

……人必或死。二六一

……亥，此牝日，起土功，有女喪〔六〕。二六二

……月辛亥，十月癸，築室死。二六三

……除止（址），丙子築止（址）、蓋之皆吉，毋（無）鳥、鼠。二六四

壬，癸巳、亥，乙酉，庚午、申，戊己，己酉，丙戌築室，弗居。二六五

卯在房，午在七星，酉在卯（昴），子在虛，不可壞垣。二六六

……□，壬，癸，庶人築室，弗居。己酉築室，不死必亡。二六七

更內、徙止（址）毋西北，不居。胃、七星可以徙室〔七〕，凶。戊、己、五戌，春日未、酉，秋亥、丑入室、內，弗居。戊戌，二六八

【注釋】

〔一〕「蓋屋、築室」是原有的篇題，分別寫在二四六號和二四七號簡首端。本篇各簡簡序係擬定。

〔二〕大人，指家中長輩。

〔三〕巳，疑爲衍文。

〔四〕此簡文字尚未寫完。

〔五〕勶，同徹，拆除，毀壞。《詩·小雅·十月之交》「徹我墻屋」，鄭箋：「徹毀我墻屋。」

〔六〕睡虎地秦簡《日書》甲種「土忌」篇云：「春之乙亥，秋之辛亥，冬之癸亥，是胃（謂）牝日，百事不吉。以起土攻（功），有女喪。」

〔七〕據文意，「可」字前脱「不」字。

垣日〔一〕：

垣日，帝毀丘之日。正月辰，二月卯，三月寅，四月酉，五月子，六月亥，七月戌，八月丑，十月未，十一月午，十二月巳，不壞垣，不可除內中。二六九

戊，己，丁□□，癸未、酉、亥，壬申以興土功，是胃（謂）不居之，死。二七〇

入月旬七，不可壞垣〔二〕；癸□不可壞垣、垣，妻死；子、卯、辛酉不可壞垣，凶；丁巳、戊、己不可垣；冬三月癸亥不可爲二七一□垣、勶屋。冬三月毋垣北方；春三月毋垣東方；夏三月毋垣南方；秋三月毋垣西方。毋以卯垣東聚。二七二

正月寅，二月巳，三月申，四月亥，五月卯，……子〔三〕，九月辰，十月未，十一月戌，十二月丑及諸月戊申、未、二七三……□丑、亥及五

月、六月、十一月先望一日、後〔四〕，不可操土功，凶。二七四

【注釋】

〔一〕「垣日」寫在二六九號簡首端，是原有的篇題。

〔二〕睡虎地秦簡《日書》甲種「土忌」篇云：「入月十七日以毀垣，其家日減。」

〔三〕此處據睡虎地秦簡《日書》甲種「土忌」篇可補作「六月午，七月酉，八月子」。

〔四〕「後」是「後望一日」的省寫。

直室門〔一〕：

（圖二七五壹—二八七壹）〔二〕

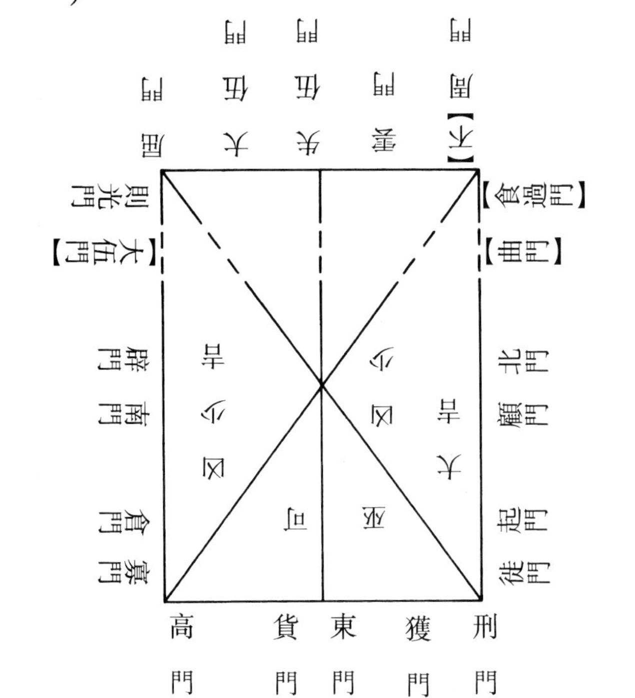

寡　門：不寡，日□興〔三〕，興毋（無）所定處。弗更，必再寡。凶。二七五貳

倉　門：富門。囷居西南而北向廥，毋絶縣（懸）肉〔四〕，絶縣（懸）肉必有經死焉〔五〕。二七六貳

南　門：將軍門，吉。冣（聚）衆、使國，八歲如虛〔六〕。二七七貳

辟　門：䖂（掩）之蓋〔七〕。廿歲其主必□僕屬〔八〕，吉。二七八貳

大伍門：宜車馬，宗族，弟兄，婦女。吉。八歲而更〔九〕。二七九貳

則光門：必昌。好歌（歌）舞，必施衣常（裳）〔一〇〕，十六歲弗更，不爲巫乃狂〔一一〕。二八〇貳

屈　門：必昌以富。婦女媀族人婦女〔一二〕，是胃（謂）鬼責門〔一三〕。三歲弗更必爲巫。二八一貳

大吉門：宜車馬。必爲嗇夫。貨數虛〔一四〕。必爲巫。十三年而更。二八二貳

失伍門：唯（惟）爲嗇夫，法（廢）。有爵者，耐。使人必賒〔一五〕，唯（惟）人盡出，三日言必大至〔一六〕。二八三貳

雲　門：其主必富三世貧〔一七〕。宜六畜，利毋爵者。二八四貳

不周門：其主必富。臨端〔一八〕，八十歲弗更，必休〔一九〕。二八五貳

【食過門】：……喪，家門乃多恙〔二〇〕。反（返）〔二一〕，是主必廁（？）〔二二〕。二八八壹

【曲　門】：……更，前富後貧。二八九壹

【北　門】：……〔二三〕二九〇壹

【顧　門】：……布。三歲弗更，日出一布〔二四〕，爲闞〔二五〕。二九一壹

【起　門】：……□□蓋之。二九二壹

【徙　門】：……□□□。二九三壹

【刑　門】：……耐乃刑。外毀孫，内毀子〔二六〕。二九四壹

獲　門：其□□□□□□……二九五壹

【東　門】：……二九六壹

貨　門：所利唯（惟）賈市。反（返）入貨不吉。十一年而更。二九七壹

【高　門】：宜豕。五歲弗更，其主爲巫，有夭（妖）。二九八壹

【注釋】

〔一〕「直室門」是我們擬定的篇題。睡虎地秦簡《日書》甲種有「直門室」篇。本篇内容是講解門的朝向及更改時間的宜忌。

〔二〕本圖第五列殘失。此據圖例補。

〔三〕「日」下一字疑爲「泥」。興，《詩·大雅·緜》「百堵皆興」，鄭箋：「興，起也。」

〔四〕絶懸，吊挂之義。

〔五〕經，《荀子·仲尼》「救經而引其足也」，注：「經，縊也。」經死，指人上吊而死。睡虎地秦簡《封診式》六三號簡云：「里人士伍丙經死其室。」

〔六〕如，猶則也。虚，空也。《史記·平准書》：「於是天子遣使者虚郡國倉廥以賑貧民。」

〔七〕掩，原文從「尢」從「奄」聲，疑讀爲「掩」。

〔八〕僕屬，指家室之臣屬。「僕屬」上一字疑是「寫」，作安置的意思講。一説爲「富」字之誤，讀爲「其主必富，僕屬吉」。

〔九〕八歲而更，指原來的門過了八年則要更改。

〔一〇〕施，《禮記·祭統》「勤大命，施於烝彝鼎」，注：「施，猶著也。」施衣裳，謂衣有佩著。

〔一一〕狂，瘋癲。

〔一二〕媢，嫉妒。《廣韻·遇韻》：「媢，媢妬也。女子妬男子。」

〔一三〕責，索取。

〔一四〕數，《漢書·賈山傳》「賦斂重數，百姓任罷」，注：「數，屢也」。

〔一五〕賒，抵押。

〔一六〕言，議論。

〔一七〕貧，乏也。富三世貧，就是備足三代所需財物。

〔一八〕臨，《左傳·昭公六年》「臨之以敬，涖之以彊」，疏：「臨、涖一也。臨謂位居其上，俯臨其下。涖謂有所施爲，臨撫其事。」端，《禮記·曲禮上》「君子問更端，則起而對」，疏「更端，别事也。」臨端，意爲任官治事。一説，「端」係原抄本涉秦始皇「正」之諱而改，「臨正」即「臨政」，意爲治理政務。

〔一九〕休，辭官。

〔二〇〕恙，禍患。

〔二一〕返，返家。

〔二二〕㓷，疑爲「㓷」之異體。《廣雅·釋詁四》：「㓷，傷也。」

〔二三〕此處簡文因竹簡上部殘失而不詳。今據插圖及睡虎地秦簡《日書》相關内容補釋「門」名。

〔二四〕布，《漢書·食貨志》「是爲布貨十品」，注：「布亦錢耳。」睡虎地秦簡《秦律十八種》六七號簡云：「錢十一當一布。」日出一布，意爲每天支出一布。

〔二五〕闕，減少。《漢書·谷永傳》「闕更減賦，盡休力役」，注：「闕，亦謂減削也。」

〔二六〕外毀孫，内毀子，意思就是説家内家外皆對子孫後代有傷害。

門〔一〕：

正月五月九月可以爲北門，戊寅、甲寅、辰，築吉。二八六貳

二月六月十月可以爲東門，以戊寅、壬寅、辰，築吉。二八七貳

三月七月十一月可爲南門，以壬申、午、甲午，築吉。二八八貳

四月八月十二月可以爲西門，七星、斗、牽牛，吉。以甲申、辰、庚辰，祠吉。二八九貳午，築吉。春爲南門，夏爲西門，秋爲北門，冬爲東門時。二九〇貳

正月、五月、四月、十月，可以爲門。二九一貳

築東門，戊寅、壬寅、戊辰、甲辰；南門壬申、壬戌、午、辰、二九二貳甲申、甲午；北門戊寅、丙寅、甲辰、甲寅；西門戊、丙、戊二九三貳辰、壬申、壬午、甲申、甲辰。爲門毋以其鄉時之日。二九四貳

北門毋東徙，東門毋北徙，南門毋西徙，西門毋南徙，二九六貳大徙之大敫，小徙之小敫。凡五丑不可耳門。二九七貳

門良日：甲戌、申、辰。門龍戊、辛、乙、庚、丁丑。二九八貳

【注釋】

〔一〕「門」是我們擬定的篇題。

死咎〔一〕：

……□之日，爲所先室以建日，死失不出。二九九

子死，其咎在里中〔二〕，必見血〔三〕。三〇〇壹

丑死，其咎在室，必有死者三人。三〇一壹

寅死，其咎在西四室，必有火起。三〇二壹

卯死，其室必有弟茅若子死〔四〕，有……三〇三壹

辰死，其室必有□……三〇四壹

巳死，其凶在室中。三〇五壹

午死，其室必三人死。三〇六壹

未死，其咎在里，寡夫若寡婦〔五〕。三〇七

申死，其咎在二室，畜産〔六〕。三〇八

酉死，不出三月，必有小子死。三〇九

戌死，其咎在室，六畜。三一〇

亥死，其咎在室，六畜。三一一

【注釋】

〔一〕「死咎」是我們擬定的篇題。本篇主要講述人死後作祟的處向及吉凶情況。

〔二〕咎，《説文》：「灾也。」里中，街坊之謂。

〔三〕見血，看見血。或解作有傷害發生。《易·涣》「上九，涣其血去逖出，無咎」，疏：「血，傷也。」

〔四〕弟苐，似指同輩中的年幼者。若，或。

〔五〕意思是説鰥夫或者寡婦會有灾禍。

〔六〕畜産，指幼畜。

死失〔一〕：

（圖三〇〇貳—三〇六貳）〔二〕

死失圖

六月　未	■	七月　申	八月　酉
五月　午	四月　巳	三月　辰	■
■	正月　寅	二月　卯	九月　戌
十二月　丑	十一月　子	■	十月　亥

以死者室爲死者月，來子□之〔三〕。三〇〇叁凡日與月同營居者〔四〕，死失不出〔五〕。三〇一叁

正月寅，死失南一室〔六〕，卯二〔七〕，巳四，未六。申北一室〔八〕，酉二〔九〕，亥四，丑六。辰、午、戌、子不出〔一〇〕。三一二

二月卯，死失南一室，辰二，午四，申六。酉北一室，戌二，子四，寅六。巳、未、亥、丑不出。三一三

【三月辰，死失南一室，巳二，未四，酉六。戌】北一室，亥二，丑四，卯六。午、申、子、寅不出。〔一一〕三一四

四月巳，死失西二室，午二，申四，【戌六。亥東】一室，子二，寅四，辰六。未、酉、丑、卯不出。三一五

【五月午，死失西一室，未二，酉四，亥六。子】東一室，丑二，卯四，巳六。寅、辰、申、戌不出。三一六

【六月未，死失西一室，申二，戌四，子六。】丑東一室，寅二，辰四，午六。卯、巳、酉、亥不出。三一七

【七月申，死失北一室，酉二，亥四，丑六。寅南一室，卯二，巳四，】未六。辰、午、戌、子不出。三一八

【八月酉，死失北一室，戌二，子四，寅六。卯南一】室，辰二，午四，申六。巳、未、亥、丑不出。三一九

九月戌，死失北二室，亥二，丑四，【卯六。辰南一】室，巳二，未四，酉六。午、申、子、寅不出。三二〇

【十月亥，死失東一室，子二，寅四，辰六。巳】西一室，午二，申四，戌六。未、酉、丑、卯不出。三二一

十一月子，死失東一室，丑二，卯四，巳六。午酉一〔一二〕，未二，酉四，亥六。申、戌、寅、辰不出。三二二

【十二月 丑死失東一室，寅二，辰四，午六。未】西一室，申二，戌四，子六。酉、亥、卯、巳不出。三二三

……方入之。乙丑死，失在北，去失西，從東方入之。丙寅日中死，三二四……戊辰夙食死，失西南，去室而代〈伐〉。己巳、西死，失不出，小子必二人。三二五……□取其父大人，不去必傷其家，去西北五步。辛未雞鳴死，失三二六西北卅步。壬申三分……北雞鳴，西去室而伐。癸酉死，失出，必傷其家及禾稼。甲戌夙三二七食至日是死〔一三〕，□至三人，少莫去之三二八步。乙亥夜半死，失不出。日出毋失，北去而伐，丙子夜半死，失不出。日出毋失，北去而伐，丁丑莫（暮）食至日中死，女子三二九取其夫，男子傷其家。戊寅莫（暮）食至日中〔一四〕，女子取其夫，男子傷其家。己卯會庚辰死，失韋（圍）廄。不去北，西南三三〇入之。庚辰日中死，失南閒三家。辛巳夜半會壬午死〔一五〕，失不出，莫東。壬午旦死，失不出，莫東。癸未死，失出，去家而伐北方。三三一甲申死，其失不出，出乃西南，其日中東北閒一家。甲乙死，南受之〔一六〕；丙丁死，西南受。乙酉死，其失不出，出乃西南，日中三三二東北閒一室。丙戌黃昏死，失南一里，少利於家。戊己死，已葬，去室西。丁亥黃昏死，失南十里，少利於家。戊子日中死，失不出，三三三其莫西北去室五步。庚辛死，東北受；壬癸死，東受之。己丑日中死，失不出，其莫西北去家五步。庚寅日中死，失東去室五三三四步，少利於家。辛卯日中死，失東去家五步，少利於家。壬辰市時死，失不出，出乃南東。癸巳平旦死，失出三里。三三五甲午莫（暮）食至黃昏死，必傷家。乙未莫（暮）食至日是死，毋發。去之南，北入之。丙申會丁酉死，失北去室五步。丁酉旦死，失北三三六……失出一里。己亥夕死，失西。庚子死，失西北，去室五步。辛丑夕死，失西北，去家三三七……南，從門入之。癸卯夕死，失不出。甲辰雞鳴至黃昏死，韋（圍）廄不出。去之西，而從門入之。三三八……日是死，失西北，去一里。丁未日出至日是死，失西北，去一里。三三九……里。己酉夙食至日是死，失西，去而伐。庚戌雞鳴至黃昏死，祝傷家〔一七〕，失南三四〇……死，失去一里。癸丑旦至日是死，失去一里。甲寅雞鳴至昏死，失不出，出東南，三四一去室而伐。乙卯夙食至日是死，失東北，去室而伐。丙辰莫（暮）食至昏死，勿發〔一八〕，失北，去室百步。丁巳旦至晦死，失出三四二

……而伐。己未旦至昏死，失出七里。辛酉雞鳴至昏死，失出，忘伐。庚申夙食至昏三四三死，失不出，出乃西。壬戌夙食至夜半死，失東南，去室五步。癸亥莫（暮）食至昏死，失東，去家而伐。三四四

【注釋】

〔一〕「死失」是我們擬定的篇題。本篇内容可分三部分，一，一幅「死失圖」及附圖説明文字。二，一張按月排列的表，供查找「死失」在每月出現或不出現的日子。三，一段按六十甲子順序講解「死失」處嚮及吉凶情況的文字。睡虎地秦簡《日書》甲、乙兩種都有與此篇插圖情形近似的圖。「死失」似是指一種人死後對生人作祟的死煞，簡文亦稱作「失」。《顔氏家訓·風操》：「偏傍之書，死有歸殺。子孫逃竄，莫肯在家。」王利器《集解》按：「《吹劍録》外集引唐太常博士吕才《百忌曆》載《喪煞損害法》：『如巳日死者雄煞，四十七日回煞；十三四歲女雌煞，出南方第三家，煞白色，男子或姓鄭、潘、孫、陳，至二十日及二十九日兩次回家。故世俗相承，至期必避之。』回煞即歸煞，此六朝、唐人避煞諫言之可考見者。戴冠《濯纓亭筆記》七：『今世陰陽家以某日人死，則於某日煞回，以五行相乘，推其殃煞高上尺寸，是日，喪家當出外避之，俗云避煞。然莫知其緣起。』」《協紀辯方書》也記有《殃煞出去方》，可參。

〔二〕本圖的最後一列原文漏作，此據圖例補。

〔三〕「來子」下一字似爲「數」字。

〔四〕意思是説日和月在圖中同處在一方格裏。

〔五〕死失不出，意思是説「死失」不出來作祟。

〔六〕意思是説正月裏的寅日「死失」在南一室。

〔七〕卯二，即卯日「死失」在南二室。

〔八〕意思是説正月裏的申日「死失」在北一室。

〔九〕酉二，即酉日「死失」在北二室。

〔一〇〕意思是説辰、午、戌、子的這些日子「死失」不會出現。

〔一一〕本條及餘下諸條所補文字係據整篇文意擬加。

〔一二〕此「一」下脱一「室」字。

〔一三〕日是，即日昳。

〔一四〕「中」下疑脱一「死」字。

〔一五〕會，合也。

〔一六〕受，遭也。

〔一七〕祝，咒也。

〔一八〕勿發，不出來。

報日〔一〕：

辛亥、辛卯、壬午不可以寧人及問疾〔二〕，人三〇五叁必反代之。利以賀人，人必反賀之，此報日也。三〇六叁

【注釋】

〔一〕「報日」是我們擬定的篇題。報，回報、報應。本篇講述寧人、問疾及賀人的擇日，睡虎地秦簡《日書》乙種、江陵岳山秦牘《日書》都有相近的內容。

〔二〕寧，慰問之意。

有疾〔一〕：

……〔二〕三四五壹

……□□□足。三四六壹

……辛汗（閒）〔三〕。大父祟（患）〔四〕。三四七壹

……汗（閒）。人炊祟（患）〔五〕。三四八壹

……甲有瘳〔六〕，乙汗（閒）。巫及室祟（患）〔七〕。三四九壹

庚辛金也，有疾，白色日中死。非白色，丙有瘳，丁汗（閒）。街行、人炊、兵祟（患）。三五〇壹

壬癸水也，有疾，黑色季子死〔八〕。非黑色，戊有瘳，己汗（閒）。蚤神及水祟（患）〔九〕。三五一壹

【注釋】

〔一〕「有疾」是我們擬定的篇題。本篇將十天干分爲五組，按干日講述某日生病，某色人將死，非某色人者則會痊愈以及患病的原因，原理與五行學說有關。睡虎地秦簡《日書》甲種的「病」、乙種的「有疾」內容與之相似。

〔二〕三四五壹、三四六壹暫歸此篇。

〔三〕閒，《方言》卷三：「差、閒，愈也。南楚病愈者謂之差，或謂之閒。」《禮記·文王世子》注：「閒猶瘳也。」

〔四〕大父，指祖父或外祖父。患，作患。

〔五〕炊，疑讀爲「痾」。《廣雅·釋詁一》：「痾，病也。」《漢書·五行志》：「凡草物之類謂之妖。……及人，謂之痾。痾，病貌。」

〔六〕瘳，《說文》：「疾愈也」。從本篇看，瘳、閒的含義有程度上的不同。「有瘳」是說病情已經好轉，「閒」則指病者完全康復。

〔七〕室，指户、竈、中霤、門、行等五祀裏的中霤。《禮記·月令》注：「中霤，猶中室也。」包山二號楚墓所出五祀木主即把「中霤」記爲「室」。

〔八〕季子，《詩·魏風·陟岵》傳：「季，少子也。」

〔九〕「蚤」通「竈」，蚤神即五祀之一的「竈」。

死〔一〕：

子有疾，四日小汗（閒），七日大汗（閒）。其祟（患）天土〔二〕。甲子雞鳴有疾，青色死。三五二壹

丑有疾，三日小汗（閒），九日大汗（閒）。其祟（患）三土君。乙丑平旦有疾，青色死。三五三壹

寅有疾，四日小汗（閒），五日大汗（閒）〔三〕。祟（患）北君冣主。丙寅日出有疾，赤色死。三五四壹

卯有疾，三日小汗（閒），九日大汗（閒）。祟（患）三公主。丁卯蚤食有疾〔四〕，赤色死。三五五壹

辰有疾，四日小汗（閒），七日大汗（閒）。祟（患）大父。戊辰莫（暮）食有疾，黄色死。三五六壹

巳有疾，三日小汗（閒），九日大汗（閒）。祟（患）高姑姊□〔五〕。己巳有疾〔六〕，黄色死。三五七壹

午有疾，三日小汗（閒）〔七〕，七日汗（閒）〔八〕。禱及道，鬼尚行。庚午日失（昳）有疾，白色死。三五八壹

【未有疾】……市有疾〔九〕，白色死。三五九壹

【申有疾】……□旱殤〔一〇〕。壬申莫（暮）市有疾〔一一〕，黑色死。三六〇

【酉有疾】……祟（患）門臽之鬼〔一二〕。三六一

【戌有疾】……□祟（患）門、街。戊戌黄昏有疾死。三六二

【亥有疾】……汗（閒）。祟（患）人炊、老人。癸亥人鄭（定）有疾死。三六三

……有疾〔一三〕。三六四

【注釋】

〔一〕「死」是我們擬定的篇題。本篇與五行説有關。

〔二〕天土，或即后土，是土神。

〔三〕「五」系「七」字之訛。

〔四〕蚤食，相當於睡虎地秦簡《日書》乙種十二時中的「食時」。

〔五〕姑姊，《左傳·襄公十二年》疏：「蓋父之姊爲姑姊」。高姑姊，可能指祖父之姊。

〔六〕「己巳」後脱「日中」二字。

〔七〕「三」係「四」字之訛。

〔八〕「汗」前脱「大」字。

〔九〕據秦簡十二時名，此處的日時爲「下市」。

〔一〇〕「旱」上一字可能是「祟」。

〔一一〕暮市，相當於秦簡十二時中的「舂日」。

〔一二〕𠂤，《説文》：「小阜也。」據文例，「鬼」字後當有脱文，似可補作「癸酉牛羊入有疾，黑色死」。干支紀日，壬申之後爲癸酉，癸酉之後二十五日爲戊戌，戊戌之後二十五日爲癸亥。自甲子至癸亥，正合六十甲子。

〔一三〕此簡暫附於此。

日時〔一〕：

……食到隅中丁〔二〕，日中戊，日失（昳）己，日失（昳）到夕時庚，夕時到日入辛，日入到人鄭（定）〔三〕，人鄭（定）三六五 到夜半癸。三六六

【注釋】

〔一〕「日時」是我們擬定的篇題。本篇將十天干與一日之時辰相配，意圖和睡虎地秦簡《日書》乙種將十二地支與一日之時辰相配是一樣的。

〔二〕隅中，日將午時。

〔三〕「鄭」後脱「壬」字。

馬牛亡者〔一〕：

子，旦南，夕北〔二〕。三四五貳

丑寅，旦西南，夕東北。三四六貳

卯，旦西，夕北。三四七貳

辰巳，旦西北，夕東〔三〕。三四八貳

未申，旦東北〔四〕。三五〇貳

酉，旦東，夕北〔五〕。三五一貳

甲子求西方。三四五叁

旦〈甲〉戌求西方。三四六叁

甲申求東南方。三四七叁

甲午求東南方〔六〕。三四八叁

甲寅求南方。三五〇叁

【注釋】

〔一〕「馬牛亡者」是我們擬定的篇題。據湖北荆州關沮周家臺秦墓竹簡三六二號，本篇當爲追尋丢失的馬牛而設。首先列出丢失馬牛的支日及方位，然後以六甲旬日爲據説明追尋的方位。

〔二〕本篇將一天分爲兩個時段，「旦」表示旦至夕，指白天；「夕」表示夕至旦，指夜晚。

〔三〕午日占文脱，其中與「旦」時相配的方位應該是「北」。

〔四〕「夕」時占文脱。

〔五〕以上「旦」時的方位有一定規律，按順時針方向自南至東；「夕」時則似乎局限於北、東之間。

〔六〕後文脱甲辰旬占文。

天牢（三五二貳—三五九貳）〔一〕

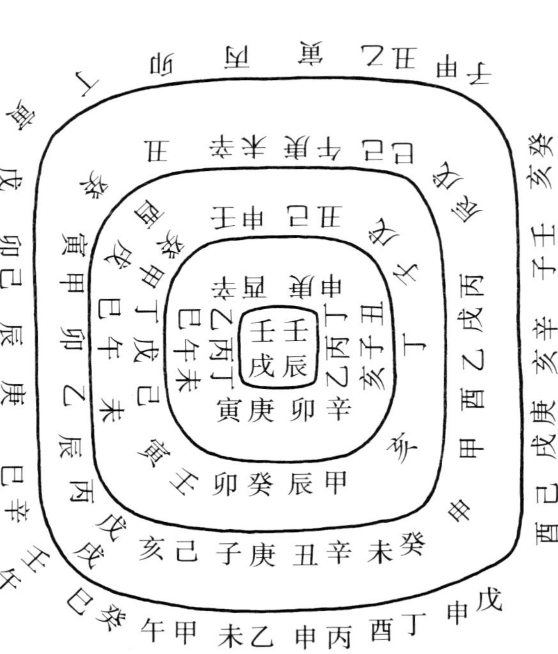

此天牢擊（繫）者〔二〕，一曰除〔三〕；二曰三五二叁貲〔四〕；三曰耐〔五〕；四曰三五三叁刑〔六〕；五曰死。三五四叁居官、宦御〔七〕，一曰進三五五叁大取；二曰多前毋三五六叁句〔八〕；四曰深入多取；三五八叁五曰臣代其主。三五九叁

【注釋】

〔一〕「天牢」是我們擬定的篇題。本篇「天牢」圖畫有四圈，將六十記日干支按一定規律分屬五欄。本篇文字内容中所謂的五「曰」，與圖的五欄可能存在一定關係。圖可能是供查找「曰」所在的日子，亦即爲「天牢」所繫之日。圖上六十干支記日在排列上按一定規律换欄。

〔二〕天牢，《史記·天官書》「赤帝行德，天牢爲之空」，《正義》：「天牢六星，在北斗魁下，不對中台，主秉禁暴，亦貴人之牢也。」繫，囚繫。

〔三〕除，免職。

〔四〕貲，罰財物。

〔五〕耐，削鬢之輕刑。

〔六〕刑，指肉刑。

〔七〕居官、宦御，任官。

〔八〕句，疑讀爲「訽」，辱也。此處疑有脫文。

盜日〔一〕：

子：鼠也。盜者兑（鋭）口，希（稀）須（鬚），善□，□有黑子焉〔二〕。臧（藏）安内中糞蔡下〔三〕，女子也。其盜在内中。三六七

丑：牛也。盜者大鼻，……〔四〕。臧（藏）牛牢中。三六八

寅：虎也。盜者虎狀，[疒黍]（稀）……〔五〕，不全於中〔六〕，以上大辟（臂）臧（藏）〔七〕。其盜決，疵善，彖（喙）口，東臧（藏）之史耳若所（？）。三六九

卯：鬼也〔八〕。盜者大面，短豙〔九〕，臧（藏）草□□〔一〇〕。盜者小短，大目，勉（免）口，女子也。三七〇

辰：蟲也。……□中，□於器閒〔一一〕。其盜女子也，爲巫，門西出〔一二〕。三七一

巳：虫也〔一三〕。盜者長而黑，虫目而黄色，臧（藏）瓦器下。其盜深目而鳥口、輕足。三七二

午：鹿也。盜者長頸，細胻〔一四〕，其身不全，長躁躁然〔一五〕，臧（藏）之草木下，販（阪）險〔一六〕。盜長面，高耳有疵，男子也。三七三

未：馬也。盜者長頸而長耳，其爲人我（娥）我（娥）然，好欥（歌）舞，臧（藏）之芻稾瘕（廄）中〔一七〕。其盜禿而多口〔一八〕，善數步〔一九〕。三七四

申：玉石也〔二〇〕。盜者曲身而[犭頁]（邪）行，有病，足胻，依販（阪）險，稷之。其盜女子也，禿，從臧（藏）西方，[疒厭]（壓）以石。三七五

酉：水日〔二一〕。盜者言亂〔二二〕，黄色，臧（藏）之園中草木下。其盜男子也，禾白面〔二三〕，閒〔二四〕，在内中。三七六

戌：老火也〔二五〕。盜者赤色，短頸，其爲人也剛履（愎）。臧（藏）之糞蔡之中，襄（壤）下。其盜出目，大面，短頭，男子也。三七七

亥：豕也。盜者大鼻而細胻，長脊，其面有黑子，臧（藏）圂中壞垣下。其盜女子也，出首，臧（藏）室西北。三七八

【注釋】

〔一〕「盜日」寫在三六七號簡首端，是原有的篇題。本篇以十二支日配以十二生肖占卜盜者，内容包括盜者的相貌、性别、藏身之處及性格、特長、身份等等，内容與睡虎地秦簡《日書》甲種、放馬灘秦簡《日書》甲種「盜者」篇大體相同。

〔二〕睡虎地秦簡《日書》甲種作「善弄，手黑色，面有黑子焉」。

〔三〕安，《經傳釋詞》卷二：「猶於也。」蔡，《説文》：「草也。」

〔四〕缺文睡虎地秦簡《日書》甲種作「長頸，大辟（臂）臑而僂，疵在目」。

〔五〕缺文睡虎地秦簡《日書》甲種作「希（稀）須（鬚），面有黑焉」。

〔六〕中，《禮記·檀弓下》注：「身也。」

〔七〕此處疑有脱文或訛文，睡虎地秦簡《日書》甲種作「從以上辟（臂）臑梗大，疵在辟（臂），臧（藏）於瓦器閒」。

〔八〕「鬼」係「兔」字之訛。

〔九〕短家，睡虎地秦簡《日書》甲種作「頭顡」。整理小組認爲「顡」是「顡」的誤字。顡，《説文繫傳》：「頭惡也。」又疑「顡」讀作本字，《玉篇》：「顡，顡顛，秃」。本簡「短家」可能當從睡虎地秦簡，讀作「頭顡」。

〔一〇〕睡虎地秦簡《日書》甲種作「臧（藏）於草中」。

〔一一〕此處疑有脱文或訛文。

〔一二〕「辰」日的占文與睡虎地秦簡《日書》甲種差別較大。原文係由兩支簡綴合而成，綴合的主要依據是放馬灘秦簡《日書》甲種，其「辰」日的占文講盜者的身份是巫祝。

〔一三〕虫，蛇。

〔一四〕胻，脛骨的上部。《説文》「胻，脛耑也」，段注：「耑猶頭也，脛近膝者胻。」

〔一五〕此句睡虎地秦簡《日書》甲種作「長耳而操蔡」。

〔一六〕阪險，地勢險峻之處。《吕氏春秋·孟春紀》注：「傾危也。」

〔一七〕芻槀，牲畜吃的草料。

〔一八〕多，疑讀作「哆」，口張開的樣子。

〔一九〕數步，指計算和測量之事。

〔二〇〕玉石，睡虎地秦簡《日書》甲種作「環」，整理小組讀作「猨」，同「猿」。「玉石」或由「環」轉訛。

〔二一〕水，讀作「雉」，指野鷄。

〔二二〕言亂，疑讀作「顏臠」，指形容消瘦。臠，義同「臞」，《説文》：「臞，少肉也。」

〔二三〕禾白面，指盜者面白似禾。

〔二四〕閒，文雅。《史記·司馬相如列傳》：「相如之臨邛，從車騎，雍容閒雅甚都。」

〔二五〕老火，睡虎地秦簡《日書》甲種作「老羊」。

人字〔一〕：

（圖三七九壹——三八八壹）

【注釋】

〔一〕「人字」是我們擬定的篇題。本篇竹簡殘失嚴重，人字圖無法復原。兹録睡虎地秦簡《日書》甲種中的人字圖以供參考。

生子〔一〕：

子生子，三日、二月五日不死，必爲上君〔二〕。五十八年以〔三〕三七九貳

【丑生子，】……死，史〔四〕。六十八年以丙寅死。女二日〔五〕、一月不〔六〕，必爲巫，五十六年以丙寅死。三八〇貳

寅生子，五日、四月不死，卅五年以丁卯死。女四日、七月、十月不死，三夫。六十七年以庚午死。三八一貳

卯生子，三日、六月不死，貧，三妻。八十年以己巳死。女三日、三月不死，貧。卅一年以甲辰死。一曰八十年庚寅死。三八二貳

辰生子，七日、三月不死，多病。一十三年以辛卯死。女三日、五月不死，爲巫，七十二年以壬午死。女復寡。三八三貳

【巳】生子，三日、三月不死，富。六十一年以己巳死。女一日、八月不死，毋（無）子，八十九年以辛卯死。三八四貳

午生子，八日、二月二日不死，爲大夫。六十九年以辛未死。女二日、五月六日不死，善盜。五十年以辛未死。一曰善田。三八五貳

未生子，三日、二月一日不死，必臨國〔七〕。六十五年以壬申死。女五日、三年不死，必爲上君妻。七十六年以庚申死。三八六貳

申生子，七日、三月不死，史。五十一年以甲戌死。女七日、六月不死，大富。卌九年以己巳死。三八七貳

酉生子，九月〈日〉、二月不死，狂。卌三年以丙子死。女一日、四月不死，爲大巫，卅九年以丁丑死。三八八貳

【戌生子】，□日、三月二日不死，大富。七十四年以寅死。女三日、五月不死，必奸〔八〕。卅五年以壬子死。一曰廿年死。三八九貳

【亥生】子，三日、三月不死，善田。六十七年以庚午死。女五日、九月不死，十年以丁亥死。三九〇貳

……□壬，男；乙、丁、己、辛、癸，女。生子不中此日〔九〕，不死，瘁（癃），不行。三九一貳

【注釋】

〔一〕「生子」是我們擬定的篇題。本篇内容是講解十二支日生子的吉凶情況。

〔二〕上君，地位處尊。

〔三〕「以」字下疑有脱文。

〔四〕史，疑借作「吏」。

〔五〕女，在此指寅日生女。

〔六〕「不」下脱一「死」字。

〔七〕臨，涖也。臨國，立國。

〔八〕奸，《説文》：「犯婬也。」

〔九〕中，《漢書·成帝紀》「舉措不中」，注：「中，當也。」

忌日〔一〕：

□□可起土功，□□□□。丑不可穿户牖，相奪日光，長子失明。寅不可行，出入不至五里，人必見兵。不可禱祠、歸三九二以禮傷，百鬼不鄉（饗）。卯不可收五種，一人弗嘗。不可穿井，百泉不通。辰不可舉喪，出入三月，必復有喪。三九三巳不可入錢財，人必破亡。不可殺雞，祠主人。毋傷巫，受其央（殃）。午不可計數〔二〕，不可臨官，四徼不當。未不可三九四行作，不可上山，斧斤不折，四支（肢）必傷。申不可功（攻）石玉，石玉不出，人必破亡。酉不可寇〈冠〉、鹹（城），出入三歲，人必有詛明（盟）。戌不可三九五取（娶）妻嫁女，且作且喪。亥不可遷徙，必□以此□。三九六

【注釋】

〔一〕「忌日」是我們擬定的篇題。本篇講解十二地支的避忌，睡虎地秦簡《日書》甲種有相似的内容。

〔二〕計數，可能指計謀、謀劃。

血忌〔一〕：

春心，夏輿鬼，秋婁，冬虚，不可出血若傷，必死。血忌，帝啓百虫口日也。甲寅、乙卯、乙酉不可出血，出血，不出三歲必死。三九七

【注釋】

〔一〕「血忌」寫在三九七號簡首端，是原有的篇題。本篇講述出血的忌日。《協紀辨方書》卷六有「血忌」條，説法與本篇不同；卷十講「血忌」日忌針刺，與本篇有相通之處。

□稼〔一〕：

正月甲乙雨，雨膏〔二〕；丙丁雨，田囂〔三〕；戊己雨，禾饒；庚辛雨，田多蒿；壬癸雨，禾消〔四〕。三九八

【注釋】

〔一〕「□稼」寫在三九八號簡首端，是原有的篇題。本篇以十干日爲據，占斷正月各雨日給禾稼帶來的影響。

〔二〕膏，《禮記·禮運》注：「猶甘也。」《山海經·海内經》：「西南、黑水之間有都廣之野，后稷葬焉，爰有膏菽、膏稻、膏黍、膏稷。」

〔三〕囂，疑讀作「槁」，乾枯的意思。

〔四〕「膏」、「囂」、「饒」、「蒿」、「消」均爲宵部字。

占〔一〕

……□南方有年〔二〕，小旱。三九九

……□□□；南方大旱。四〇〇

……□中；西方有年；南方毋（無）年，有旱。四〇一

……□□善。四〇二

……□□□日□雨〔三〕，大旱，至六日。四〇三

……□□三日死，見壹見貳不死。四〇四

……□至三日有陰，君子死，民多疾。三日晏暑〔四〕，國安，五穀皆孰（熟）。四〇五

……□□四〇六

……□四〇七

……四〇八

……□四〇九

正月上旬丁己雨，上歲〔五〕；中旬丁雨，中歲；下旬丁己雨，下歲；三丁己雨〔六〕，毋（無）歲。朔日雨，歲幾（饑），有兵。四一〇

……四一一

入正月四日，旦温稙禾爲，晝温中禾爲，夕温穉禾爲〔七〕，終日温三□。四一二

入正月八日，見赤雲禾爲，黑雲叔（菽）爲，青雲麥爲，黄帝禾爲〔八〕，白雲稻爲，五色大飢（饑）〔九〕。四一三

正月戊己有北風，發屋折木，命曰飢。小人賣子，君子賣衣；君子憂，小人流。四一四

正月乙巳、乙亥雨，不風，有歲；雨而風，有旱；不雨而風，大旱。四一五

子白雲疾行，庚辛黑雲，壬癸赤雲，丙丁青雲，甲乙黄雲。行而雲一，天下旱。四一六

入正月三日雨，三月尌（樹）；四日雨，四月尌（樹）；五日雨，五月尌（樹）。七日稙禾爲，九日中禾爲，廿日穉禾爲〔一〇〕。四一七

正月朔日，風從南方來，五日不更，炊（吹）地瓦石見，是胃（謂）燕風，飢。從東方，五日不更，是胃（謂）四一八 襄〔一一〕，國有大歲。從西方，五日不更，是胃（謂）庳風，大旱，百姓皆流。從北方，五日不更，四一九 是胃（謂）山木入康。一曰四周是兵起，必戰，得數萬。四二〇

……有歲而爲，從東方來，禾大孰（熟）。從東南來，民多疾。從南方來，四二一……□兵。從西方來，大戰，滅軍。從北方來，大水。四二二

……雲爲水，白雲爲凶，青雲爲兵。凡以凶吉，雲高終歲。四二三

……小童死五日，中年死九日，是胃（謂）歸老鄭（定），有雨，平年入。四二四

正月旦西風，三日不報〔一二〕，兵起在春三月中。入月二日而風，三日不報，兵起在夏三月中。入月四二五 三日而風，三日不報，兵起在秋三月中。入月五日而風，三日不報，兵起在冬三月中。四二六

【注釋】

〔一〕「占」寫在四一七號簡首端，是原有的篇題，今以之作爲本段文字的總標題，分篇及簡序不一定符合原貌。本篇主要是通過風、雨、雲的徵象占候年歲。

〔二〕年，《説文》：「穀孰也。」有年，《史記·天官書》正義：「謂豐熟也。」

〔三〕「雨」上一字疑爲「天」字。

〔四〕晏，《漢書·揚雄傳上》注：「無雲也。」

〔五〕歲，《左傳·哀公十六年》注：「年穀也。」上歲即豐歲，下歲即歉歲。

〔六〕三，指上、中、下三旬。

〔七〕稙禾、穉禾，《詩·魯頌·閟宫》毛傳：「先種曰稙，後種曰穉。」《齊民要術·種穀》：「穀田必須歲易，二月三月種者爲稙禾，四月五月種者爲穉禾。」爲，《史記·天官書》「戎菽爲」，《集解》引孟康曰：「爲，成也。」

〔八〕「帝」可能係「雲」字之訛。

〔九〕五色大饑，意思是説見五色雲則大饑。「色」字形體有訛誤。

〔一〇〕「七日」、「九日」、「廿日」之後可能省略了「雨」字。

〔一一〕「襄」字後脱「風」字。

〔一二〕報，《淮南子·天文》注：「復也」。

司歲〔一〕：

正月子朔，聞（攝）民（提）挌（格）司歲〔二〕，四海有兵，有年。四二七壹

丑朔〔三〕，單□日百興（?）實日秋食〔四〕。四二八壹

寅朔，執郤（徐）司歲，日食毋（無）寒。四二九壹

卯朔，大亡小爲司歲〔五〕，百資不食〔六〕，兵起，民盈街谷。四三〇壹

辰朔，隫（敦）臧（牂）司歲，有兵。四三一壹

巳朔，蓋（協）□司歲〔七〕，民有疾，年□春□食，有兵。四三二壹

【午朔】□□司歲，百資不成，三穜（種）。四三三壹

未朔，作駱（噩）司歲，有兵起。四三四壹

【申】朔，奄（閹）戊（茂）司歲，有年，中央，黄啻（帝）。四三五壹

【酉朔】……□□，東方旲，南方叔倍。四三六壹

【戌朔】……兵西方耑王內。四三七

亥朔，赤奮若司歲，大風，報，兵革起，火行。四三八

【注釋】

〔一〕「司歲」是我們擬定的篇題。本篇所記爲星歲紀年。《爾雅·釋天》、《淮南子·天文》等都有這方面的記載：歲星自丑右行，太歲自寅左行，一年行徙一地支，十二年而一周天，是有十二司歲。星歲紀年法的應用主要與農事和兵事有關。

〔二〕本篇隨文所注歲名假借字以《爾雅·釋天》爲準。

〔三〕「丑」前省略了「正月」二字，後文例同。

〔四〕單□，《爾雅·釋天》作「單閼」。

〔五〕大亡小爲，《爾雅·釋天》作「大荒落」，亡、荒可通。

〔六〕資，《左傳·僖公三十三年》注：「糧也。」

〔七〕盍□，《爾雅·釋天》作「協洽」。

主歲〔一〕：

甲乙朔，青啻（帝）主歲，人炊行没。青禾爲上，白中四二七貳中〔二〕，黄下，麥不收。吏人炊〔三〕。四二八貳

丙丁朔，赤啻（帝）産〔四〕，高者行没。赤禾爲上，黄中，白四二九貳下，少旱。吏高者。四三〇貳

戊己朔，黄啻（帝）主歲，邑主行没。黄禾爲上，赤四三一貳中，白下，有風雨，兵起。四三二貳

庚辛朔，白啻（帝）主歲，風柏（伯）行没〔五〕。白禾爲上，赤四三三貳中，黄下，兵不起，民多疾。四三四貳

壬癸朔，剡（炎）啻（帝）主歲，群巫没〔六〕。赤黑禾爲上，四三五貳白中，黄下，禾不孰（熟），水不大出，民少疾。事群巫。四三六貳

【注釋】

〔一〕「主歲」是我們擬定的篇題。本篇將十天干分爲五組，每組以朔日爲據，占斷五色帝所主之歲的年景，内容主要包括出没的神靈及各色禾稼的豐歉等等，原理與五行學説有關。

〔二〕白中，「白禾爲中」的省語，後文例同。第二個「中」爲衍字。

〔三〕吏，疑讀爲「事」，《玉篇》：「奉也」。下文「吏高者」之「吏」同。

〔四〕産，此處可能脱一「歲」字，「主」訛爲「生」，又轉爲「産」。

〔五〕風伯，風神。

〔六〕「巫」後脱「行」字。

朔占〔一〕：

丙丁朔少旱，莫（暮）澍。四三九壹

子朔有歲。四四〇壹

丑朔敗穜（種），寡旱。四四一壹

卯朔户幾（饑）。四四二

辰巳朔五穜（種）。四四三

午未朔多雨。四三九貳

申朔蚤（早）殺〔二〕。四四〇貳

酉朔莫（暮）殺，有歲。四四一貳
三以甲朔大孰（熟）。四四四壹
三以乙朔中〔三〕、稺〔四〕爲。四四四貳
三以丙朔禾、麻爲。四四四叁
三以丁朔歲户〔五〕。四四四肆
三以戊朔大稙〔六〕、大中、叔（菽）、蓋（荅）爲〔七〕。四四五壹
三以己朔歲大爲，女子有疾。四四五貳
三以庚朔歲不孰（熟）。四四五叁
三以辛朔下田收。四四五肆
……大孰（熟）〔八〕。四四六

【注釋】

〔一〕「朔占」是我們擬定的篇題。本篇分爲兩部分，分别以地支及天干居朔，判斷農事的吉凶。
〔二〕殺，收割。《資治通鑒·陳長城公至德元年》：「百姓歌之曰：『老禾不早殺，余種穢良田。』」「早殺」與下文「暮殺」相對。
〔三〕中，中禾。
〔四〕稺，稺禾。
〔五〕户，疑讀作「惡」。《漢書·薛廣德傳》注：「歲惡，年穀不熟也。」
〔六〕稙，稙禾。
〔七〕菽、荅，分指大豆和小豆。
〔八〕缺文當是「壬朔」或「癸朔」的占辭。

糴〔一〕：

入正月一日，日出而風，糴（糴）貴；陰而雨，糴（糴）賤。入月二日爲二月三日，爲三月四日，爲四月五日，爲五月六日，爲六月。四四七
入七月一日，日出而風，糴（糴）貴；陰而雨，糴（糴）賤。入月二日爲八月三日，爲九月四日，爲十月五日，爲十一月六日，爲十二月。四四八
……戊寅日出而風，糴（糴）貴；□□陰而雨，糴（糴）賤。不雨，日出不風，占如故。風從南方來，糴（糴）四四九……爪（？）甚陰而雨，
風。風從□□□糴（糴）尤賤，毋予也。四五〇

五月霚（霧）來，春糴（糴）貴，壹□利賈，再霚（霧）再稖（倍），三霚（霧）三倍，四霚（霧）四倍，五霚（務）五倍，六霚（霧）六倍。四五一

【注釋】

〔一〕「糴」是我們擬定的篇題。本篇以候風之術占斷穀物買賣的貴賤。

始穜（種）〔一〕：

正月七日，二月十四日，三月廿一日，四月八日，五月十六，六月廿四日，七月九日，八月十八日，十月七日，十一月廿日，十二月卅，以穜（種），一人弗食也。四五二

始耕田之良日，牽牛、酉、亥。辰、巳不可穜（種）、出穜（種），乙巳、壬不可予〔二〕、入五穜（種）。五月東井利澍（樹）藍、韭，司清。四五三

己亥，癸亥，丑、酉，皆禾吉日也。四五四

麥龍子，稷龍寅，黍龍丑，稻龍戌，叔（菽）龍卯，麻龍辰。四五五

以秋禾孰（熟）時，取禾穜（種）數物各一斗粟，盛新瓦壅（甕）中〔三〕，臧（藏）燥地，到正月敉取其息最〔四〕四五六

……穜（種）之。四五七

【注釋】

〔一〕「始種」寫在四五二號簡首端，是原有的篇題。本篇主要講述耕種農作物的良日和忌日，睡虎地秦簡《日書》甲、乙種，放馬灘《日書》乙種都有相近的內容。

〔二〕據睡虎地秦簡《日書》乙種「五穀良日」條，「壬」後脱「辰」字。

〔三〕壅，《玉篇》：「同甕。」

〔四〕敉，《爾雅·釋言》：「撫也。」

歲〔一〕：

天不足西方，天柱乃折。地不足東方，地維乃絶〔二〕。於是名東方而封（樹）之木，胃（謂）之青；名南方而封（樹）之火，四五八……金〔三〕，胃（謂）之白；名北方而封（樹）之水，胃（謂）之黑；名中央而封（樹）之土，胃（謂）之黄。於是紀胃（謂）而四五九定四鄉（嚮），和陰陽，雌雄乃通。於是令日當月，令月當歲，各十二時。東方青，南方赤，西方白，北方黑，中央四六〇……□□，西方鮎（苦），北方齊（辛），中央甘，是五鉥（味）〔四〕。東方徵，南方羽，西方商，北方角，四六一中央宫，是冐（謂）五音〔五〕。□□……音者以占悲樂，於是令火勝金，令水勝火，令

土勝水，令四六二木勝土，令金勝木，是胃（謂）五勝者以占强弱，各居而鄉（嚮），必和陰陽，結解必當。於是令東方生，四六三令南方長，令西方殺，令北方臧（藏），令中央兼收，是胃（謂）五時。春以徹秋，夏以徹冬，秋以徹春，冬四六四以徹夏，是胃（謂）四時。春徹戌也，是胃（謂）伍（吾）且生，子毋敢殺，盡春三月解於戌。夏徹於丑也，是四六五胃（謂）吾且長，子毋敢臧（藏），盡夏三月乃解於丑。秋徹辰也，是胃（謂）吾且殺，子毋敢生，盡秋三月乃四六六[解]於辰。冬徹未也，是胃（謂）吾且臧（藏），子毋敢長，盡冬三月乃解於未。是胃（謂）四時結。結解不當，五四六七[穀][不][成]，[草][木][不][實]，兵革且作，六畜脊，民多不丰〔六〕，刑、正（政）亂。結解句（苟）當，五穀必成，草木盡四六八實，兵革不作，刑、正（政）盡治。正月并居寅，以謀春事。必温，不温，民多疾，草木、五穀生不齊。四六九二月發春氣於丑，是胃（謂）五（吾）已生矣。發子氣矣，必風，民多腹腸之疾，草木不實。三月止寒於戌，是四七〇胃（謂）吾已成矣，子敬毋[殺]。必温，寒，名曰執，蚤（早）寒蚤（早）執，莫（暮）寒莫（暮）執，終日寒三執。四月并居四七一卯，以受夏氣。必温，不温，五穀夏夭，草木不實、夏洛（落），民多戰疾。五月治虫於辰巳，是胃（謂）四七二吾已長矣，子戒毋敢徹〔七〕。必星，小雨小虫，大雨大虫。六月止雲霚（霧）於亥〔五〕，是胃（謂）吾已長矣，子毋敢四七三徹。大雨大徹，小雨小徹。七月并居申，以行秋氣。必寒，温，民多疾病，五穀夭死。八月止陽氣四七四於未，是胃（謂）吾已殺矣，止子氣。必寒，不寒，民多戰疾，禾復。九月爲計於卯，蚤（早）風以於草木，温以四七五清，五官受令其[風]，[忘]有大事，計不成。其黄也，有土功事；其黑也，有憂；其白，有兵；其青四七六也，有木功事；其赤也，民多戰疾，鬼水哀。十月稱臧（藏）於子，必請風，忘有大事，受臧（藏）不成。四七七十月廥（廩）事於酉〔八〕，必請風。忘，正（政）亂，下不聽（聽）。十二月置、免於午〔九〕，必請風。忘，執正（政）、置官不治，若有大事。四七八

【注釋】

〔一〕「歲」寫在四五八號簡首端，是原有的篇題。

〔二〕《淮南子·天文》：「天柱折，地維絶。」湖北荆門郭店楚墓出土竹簡《太一生水》也有相關的叙述。

〔三〕據文例，此處缺文可補作：「胃（謂）之赤；名西方而封（樹）之」。

〔四〕「是」後脱「胃」字。

〔五〕五音、五味和方位的搭配與傳世文獻所記不同。

〔六〕丰，《詩·鄭風·丰》傳「豐滿也」，鄭箋：「面貌丰丰然豐滿。」

〔七〕戒，《廣韻·怪韻》：「慎也。」

〔八〕「十」後脱「一」字。

〔九〕置免，置官免官，猶今言任免。

附録 未編聯簡

行日：行良日：乙丑、亥、未、酉，□之日……殘一

……亡人，得。唯良日也，慎□之。殘二

一月之行歸□……殘三

……□可爲也，凡事不……殘四

……可出入人，□事。……殘五

……□利初齍……殘六

入月二旬三日，命胃（謂）危□……殘七

……不可合男女，入月旬……殘八

……殘九

▌……殘一〇

壬辰、癸卯，六月、七月壞垣……殘一一

□□更□垣□與□與……殘一二

……□□……殘一三

……垣，未不可□……殘一四

冬巳不可南垣，申不可……殘一五

……不居。……殘一六

……□死。殘一七

……□死之。殘一八

春夏三月，毋以大……殘一九

正月上戌，毋□……殘二〇

□□上戌毋□□□……殘二一

酉、午、卯、巳，不可問疾，……殘二二

……有疾，四日小汗〔一〕……殘二三

□□……殘二四

……□□□血 殘二五

一日　日二日二日一 殘二六

至中歲至雲下者歲□……殘二七

十月丁酉以□……殘二八

春……殘二九

三月……殘三〇

入□……殘三一

壬辰癸……殘三二

壬寅……殘三三

□巳□□……殘三四

……乙巳、丑，丁酉、卯，己……殘三五

……□亥丑□……殘三六

……□戌午申庚午辰壬戌子……殘三七

……□未辛巳丑癸亥未□……殘三八

六月□□□□□……殘三九

……日心，□月廿四日心□……殘四〇

……日，五申酉□……殘四一

□□□□□□……殘四二

□□巳午毋以□……殘四三

□□□……殘四四

……殘四五

□□□□□□……殘四六

……殘四七

……□。酉嫁，三更……殘四八

【注釋】

〔一〕此條殘簡屬「死」篇，但具體位置不明。

曆日釋文注釋

曆日（一）

一 乙亥 【十月大】（二）
二 【丙子】
三 【丁丑】
四 戊寅
五 己卯
六 庚辰
七 辛巳
八 壬午
九 癸未 初伏（三）
一〇 甲申
一一 乙酉
一二 丙戌
一三 丁亥
一四 戊子
一五 己丑
一六 【庚】寅 立春 中初（四）
一七 辛卯
一八 壬辰
一九 癸巳
二〇 甲午
二一 乙未
二二 丙申

丁酉　二三

戊戌　臘〔五〕　二四

己亥　二五

庚子　九月小　二六

【辛】【丑】　七月大　二七

壬寅　五月大　二八

癸卯　三月大　二九

甲辰　冬至　正月大　三〇

乙巳　十一月小　三一

丙午　夏至　三二

丁未　三三

戊申　三四

己酉　三五

庚戌　三六

辛亥　出穜（種）〔六〕　三七

【壬】【子】　三八

癸丑　三九

甲寅　四〇

乙卯　四一

丙辰　四二

丁巳　四三

戊午　四四

己未　四五

庚申 四六

辛酉 四七

壬戌 四八

癸亥 四九

甲子 五〇

乙丑 五一

丙寅 五二

丁卯 五三

戊辰 五四

己巳 五五

庚午 五六

【辛未】　八月小 五七

壬申　六月小 五八

癸酉　四月小 五九

甲戌　【十二月大】〔七〕　二月小 六〇

【注釋】

〔一〕本組竹簡原無篇題。經整理，推知係漢景帝後元二年（公元前一四二年）曆日。本册《曆日》以六〇支簡排曆，册首從右往左橫排六十干支用以記日，起於「乙亥」，終於「甲戌」。記日干支之下自上往下依次分六欄，各欄從右往左，並自上往下轉欄排列全年月份並注明月大小，起於「十月」，止於「九月」。同時注有節氣等事項。本册《曆日》中的「十二月大」、「二月小」、「四月小」、「六月小」、「八月小」等項在抄寫時均各自下移了一欄的位置。本册《曆日》所示全年月朔及月大小如左：

十　月乙亥大

十一月乙巳小

十二月甲戌大

正　月甲辰大

二　月甲戌小

三　月癸卯大

四　月　癸酉小

五　月　壬寅大

六　月　壬申小

七　月　辛丑大

八　月　辛未小

九　月　庚子小

〔二〕此處竹簡殘斷，據文意補「十月大」。

〔三〕初伏，《史記·秦本紀》「二年，初伏，以狗禦蠱」，《正義》：「六月三伏之節起秦德公爲之，故云初伏。伏者，隱伏避盛暑也。」《太平御覽》引《陰陽書》曰：「從夏至後第三庚爲初伏，第四庚爲中伏，立秋後初庚爲後伏，謂之三伏。」簡文所記「初伏」爲庚辰，在六月初八，是夏至後的第四庚。

〔四〕「中初」應是「中伏」之誤。

〔五〕臘，原文似作「臈」，「臘」字異體。《說文》：「臘，冬至後三戌臘祭百神。」

〔六〕出種，取出種籽。

〔七〕此處簡文不清，據文意補「十二月大」。

告地書釋文注釋

告地書〔一〕

二年正月壬子朔甲辰〔二〕，都鄉燕佐戎敢言之〔三〕：庫嗇夫辟與奴宜馬、取、宜之、益衆，婢益夫、末衆〔四〕，車一乘〔五〕，馬三匹〔六〕。

正月壬子，桃侯國丞萬移地下丞〔七〕，受數[正]毋報〔八〕。　　定手〔九〕[背]

【注釋】

〔一〕「告地書」是我們給牘文擬定的標題。《告地書》的內容是虛擬死者生前名籍所在的地方官向陰間官員移送名籍。

〔二〕朔日爲壬子的月份不可能有甲辰日，簡文「正月壬子朔甲辰」當是「正月甲辰朔壬子」之誤。簡文所云「二年」應爲漢景帝後元二年。

〔三〕都鄉，縣治所在鄉。燕佐，疑爲鄉屬官。湖北江陵鳳凰山十號墓出土的四號木牘記「正偃付西鄉偃佐纏吏奉」，「偃佐」與「燕佐」似爲一名，具體所指待考。

〔四〕庫嗇夫，似指管理縣邑庫的官吏。墓中出土侍從木俑六個，與《告地書》所記奴婢數相符。

〔五〕墓中出土車傘蓋一副，示意隨葬一乘車。

〔六〕墓中出土木馬三匹。

〔七〕《史記·項羽本紀》「桃侯、平皋侯、玄武侯皆項氏，賜姓劉」，《正義》引《括地志》：「故城在滑州胙城縣東四十里。漢書云高祖十二年封劉襄爲桃侯也。」簡文「桃侯國」很可能是墓主「庫嗇夫辟」的原籍。

〔八〕報，復也。

〔九〕定，人名。簡文「定手」，是承辦文件官員的簽署。

附 竹簡整理號與出土號對照表

篇名	整理號	出土號
日書	一	一二三
	二	三一二 二〇三
	三	二〇四 二六二
	四	六〇〇 六七四 二六三
	五	三二七 二六四
	六	三三〇 二六一
	七	三二九 二六〇
	八	三二六 二五五
	九	三二五 二五七 二五四
	一〇	三二二 二五八
	一一	五九七
		二五九
	一二	三二一 三三一 二四一
	一三	三二〇 三三三 二四〇
	一四	五八七 五七八
	一五	六八一 五八八 五七六
	一六	六一一 五七五
	一七	五九三
	一八	五五八
	一九	五五七
	二〇	五五二
	二一	五五一
	二二	五四九
	二三	五六〇
	二四	五六四
	二五	五六三
	二六	五七三
	二七	五七四
	二八	六五〇 五八〇 五六七
	二九	六四二 六九一 五六六
	三〇	六七三 六八九
	三一	六九〇 三八一
	三二	六一九 三八〇
	三三	五九四 三八八
	三四	五三〇 五二七下
	三五	五三五 三九二
	三六	三七四
	三七	三七六
	三八	三七七
	三九	四五
	四〇	四六
	四一	一二二
	四二	一一九
	四三	一一七
	四四	一二一
	四五	一二〇
	四六	一一八
	四七	二〇二
	四八	六〇八
	四九	六六七
	五〇	二一九
	五一	五九〇
	五二	六四五 二三七
	五三	三二八 二三九
	五四	三二三 三三二 二三六
	五五	三一九 五七九 二四二
	五六	五八九 五七七 二四三
	五七	五八六 五七二
	五八	六二四 五九二
	五九	六四一 五〇五
	六〇	五〇八
	六一	五五六
	六二	五五三
	六三	五五〇
	六四	五四八
	六五	五六五
	六六	五五九
	六七	六四三 六九三 五六二

篇名	整理號	出土號
	六八	五七〇
	六九	五九五
		五六八
	七〇	五二九
		五六九
	七一	五二七上
		五〇七
	七二	五三二
		五一〇
	七三	五三六
		五〇九
	七四	三九一
	七五	三七五
	七六	三七三
	七七	三七八
	七八	六二五
	七九	四七
	八〇	五〇
	八一	四四
	八二	四九
	八三	四八
	八四	七九
	八五	八〇
	八六	一五九
	八七	二〇一
	八八	二一八
	八九	二一六
	九〇	二一五
	九一	三〇八
		二三〇
	九二	六一〇
		二一四
	九三	三二四
		二三一
	九四	三一八
		二二二
	九五	三一四
		六七五
		二三五
	九六	五八五
		五九八
		二四六
	九七	六四六
		五一九
		六九六
		二三四
	九八	五八四
		六六九
		二四五
	九九	五八三
		六八〇
		二四九
	一〇〇	五八一
		五〇四
		二五一
	一〇一	五五四
		五〇一
	一〇二	五四〇
	一〇三	五〇六
	一〇四	五五五
	一〇五	五四二
	一〇六	五四七
	一〇七	五四六
	一〇八	五四一
	一〇九	五二二
		五四三
	一一〇	五二四
		五四五
	一一一	五二三
		五六一
	一一二	五二八
		五七一
	一一三	五二六
	一一四	五二五
	一一五	五三一
		四六四
	一一六	三八九
	一一七	三八七
	一一八	三八五
	一一九	三七二
	一二〇	二
	一二一	二〇
	一二二	一二五
	一二三	四三
	一二四	五一
	一二五	六九五
		八四
	一二六	六八五
		八三
	一二七	八二
	一二八	八一
	一二九	一一六
	一三〇	一五七
	一三一	二〇五
	一三二	二一七
	一三三	二〇七
	一三四	三一〇
		六八七
		二〇八
	一三五	三〇七
		六五八
		二〇九
	一三六	三〇六
		六八三
		二一三
	一三七	三一五
		二一二
	一三八	一八九
	一三九	一九五
	一四〇	二一一

篇名	整理號	出土號
	一四一	三一三
		二二三
	一四二	五二一
		六八四
		二三〇
	一四三	六〇九
		二三二
	一四四	六三四
		五八二
		六二二
		二五〇
	一四五	六〇五
		六七八
		五〇三
		四九六
	一四六	五三八
		五〇〇
	一四七	五三九
		六五一
		四九九
	一四八	五一一
		四九七
	一四九	五一二
		五四四
	一五〇	四八六
	一五一	四九五上
		四六三
	一五二	五一五
		三八四
	一五三	五三四
		三八三
	一五四	六六六
		三七〇
	一五五	三五九
	一五六	二三
	一五七	四二
	一五八	五三
	一五九	三七九
	一六〇	五二
	一六一	八五
	一六二	一一三
	一六三	一一四
	一六四	一一五
	一六五	一五八
	一六六	一五六
	一六七	二〇〇
	一六八	二〇六
	一六九	一九八
	一七〇	一九七
	一七一	一九六
	一七二	二七三
		六六三
		一九四
	一七三	二九五
		二一〇
	一七四	三〇〇
		六九八
		二二五
	一七五	六〇六
		五一八
		二二九
	一七六	六三二
		二三一
	一七七	六七一
		六八六
		二三三
	一七八	五三七
		四九八
	一七九	四九〇
	一八〇	四九二
	一八一	四九三
	一八二	五一三
		六二六
	一八三	四九四
	一八四	五一四
		四九五下
	一八五	六六五
		三八六
	一八六	三九〇
	一八七	三八二
	一八八	三七一
	一八九	一八
	一九〇	一九
	一九一	二四
	一九二	一
	一九三	五五
	一九四	五四
	一九五	四一
	一九六	七八
	一九七	二六五
		一一二
	一九八	一二六
	一九九	一五五
	二〇〇	一九九
	二〇一	五九九
		一八四
	二〇二	一八五
	二〇三	二七五
	二〇四	六二三
		五九六
	二〇五	一九三
	二〇六	六九四
		二三四
	二〇七	三〇四
		六五六
		二二八
	二〇八	二九三
		六八八
		四八七
	二〇九	四八八

篇名	整理號	出土號
	二一〇	四八九
	二一一	四八三
	二一二	四九一
	二一三	四八五
	二一四	四六二
	二一五	四四五
	二一六	一六
	二一七	七
	二一八	三
	二一九	五
	二二〇	二八七
		三七
	二二一	六
	二二二	二一
	二二三	四〇
	二二四	七五
	二二五	七六
	二二六	八六
	二二七	一二八
	二二八	一二七
	二二九	一五四
	二三〇	一八三
	二三一	一八二
	二三二	二六七
		一八六
	二三三	一八一
	二三四	一八〇
	二三五	二七一
	二三六	一二四
	二三七	一八七
	二三八	四八〇
	二三九	四四七
	二四〇	四八一
	二四一	四八二
	二四二	四七六
	二四三	四七八
	二四四	四八四
	二四五	三六七
	二四六	六二一
		四四六下
	二四七	三一七
		四七九
	二四八	五一六
		三五八
	二四九	七〇〇
		一五
	二五〇	三六八
	二五一	三六九
	二五二	二五
	二五三	一一
	二五四	八
	二五五	四
	二五六	三八
	二五七	五六
	二五八	八九
	二五九	八八
	二六〇	八七
	二六一	一一〇
	二六二	一〇九
	二六三	一一一
	二六四	一三三
	二六五	一三二
	二六六	三二
		一三一
	二六七	一三〇
	二六八	一二九
	二六九	一五三
	二七〇	一五二
	二七一	一六九
	二七二	一六六
	二七三	六一五
		一九二
	二七四	一六七
	二七五	一六八
	二七六	二六九
		一七九
	二七七	二七〇
		一八八
	二七八	二九一
		一九一
	二七九	二二六
	二八〇	三一六
		四七二
	二八一	四七三
	二八二	四七四
	二八三	四七五
	二八四	四七七
	二八五	四七一
	二八六	三六六
	二八七	六〇七
		三五七
	二八八	一〇
	二八九	一四
	二九〇	九
	二九一	二二
	二九二	三六
	二九三	三九
	二九四	七四
	二九五	六〇一
	二九六	一三四
	二九七	一四〇
	二九八	六七六
		一三九
	二九九	一六五
	三〇〇	二六六
		一六四
	三〇一	二六八
		一七八
	三〇二	二七七
		一七七

篇名																						
整理號	三〇三		三〇四		三〇五	三〇六	三〇七	三〇八	三〇九	三一〇	三一一	三一二	三一三		三一四	三一五		三一六	三一七	三一八	三一九	三二〇
出土號	二九二	一九〇	六四九	四六五	四六六	四六七	四六八	四六九	四七〇	四四八	六一三	三六五	六二八	三五六	一七	六五二	三五三	三五	五七	七三	九〇	六二七

篇名																						
整理號		三二一	三二二		三二三	三二四	三二五	三二六	三二七		三二八	三二九	三三〇	三三一	三三二	三三三	三三四	三三五	三三六		三三七	三三八
出土號	一三五	一四一	三〇五	一五一	一六三	一七〇	一七六	一七五	二七六	一七四	四五六	四五七	四五八	四五九	四六〇	四六一	四四四	三六四	四四六上	三五五	一三	三五二

篇名																						
整理號	三三九	三四〇	三四一	三四二		三四三	三四四		三四五	三四六	三四七	三四八	三四九	三五〇	三五一	三五二	三五三	三五四	三五五	三五六	三五七	
出土號	三四	五九	五八	二八九	九二	九一	二八〇	一三六	一五〇	一六二	一七一	一七三	四五五	四五四	四五三	四五二	四五一	四五〇	四四九	三六三	六三〇	三五四

篇名																						
整理號	三五八	三五九	三六〇	三六一	三六二	三六三	三六四	三六五	三六六	三六七		三六八		三六九		三七〇		三七一		三七二	三七三	三七四
出土號	三六〇	二六	三三	七一	七二	九三	一三七	一四二	六〇二	五九一	一四九	二八二	一四八	二八五	一六一	二九〇	一七二	六四〇	四三七	四三八	四三九	四四〇

篇名																						
整理號	三七五	三七五	三七七	三七八	三七九	三八〇	三八一	三八二	三八三	三八四	三八五	三八六	三八七		三八八		三八九	三九〇	三九一	三九二	三九三	三九四
出土號	四四一	四四二	四四三	三六二	三六一	三四九	二七	六二	六〇	九五	九四	一〇七	二八八	一三八	二九八	一四三	一四六	一六〇	四三六	四三五	四三四	四三三

篇名	整理號	出土號
	三九五	四三二
	三九六	四三一
	三九七	四三〇
	三九八	三五一
	三九九	三〇
	四〇〇	三一
	四〇一	六一
	四〇二	六三
	四〇三	一〇四
	四〇四	一〇六
	四〇五	一〇五
	四〇六	一〇八
	四〇七	一四七
	四〇八	六三一
	四〇九	一四五
	四一〇	二九七
		一四四
	四一一	四二三
	四一二	四二四
	四一三	四二五
	四一四	四二六
	四一五	四二七
	四一六	四二八
	四一七	四二九
	四一八	四一七
	四一九	三五〇
	四二〇	六五
	四二一	六四
	四二二	六九
	四二三	七〇
	四二四	六七
	四二五	二八三
		三三四
	四二六	四二二
	四二七	四二一
	四二八	四二〇
	四二九	四一九
	四三〇	四一八
	四三一	四〇五
	四三二	三四七
	四三三	一〇一
	四三四	六八
	四三五	九七
	四三六	九六
	四三七	三三六
	四三八	二八四
		三三五
	四三九	六〇三
		三九九
	四四〇	四一三
	四四一	四一四
	四四二	四一五
	四四三	四一六
	四四四	四〇九
	四四五	三四八
	四四六	二八
	四四七	一〇〇
	四四八	六五七
		九八
	四四九	六六〇
		一〇三
	四五〇	六六一
		三三七
	四五一	六二九
		三九八
	四五二	四〇六
	四五三	四一二
	四五四	四一一
	四五五	四一〇
	四五六	四〇四
	四五七	三四六
	四五八	六六
	四五九	九九
	四六〇	三三九
	四六一	三三八
	四六二	六三六
		三九七
	四六三	四〇〇
	四六四	四〇七
	四六五	四〇八
	四六六	四〇三
	四六七	三四五
	四六八	三四四
	四六九	一〇二
	四七〇	三四〇
	四七一	六一二
		三九六
	四七二	四〇一
	四七三	四〇二
	四七四	三四三
	四七五	三四一
	四七六	三九五
	四七七	三四二
	四七八	三九四
日書（未編聯）	殘一	三〇九
	殘二	三九三
	殘三	三〇三
	殘四	六六八
	殘五	六七二
	殘六	七〇三—二
	殘七	二七二
	殘八	六五九
	殘九	六四四
	殘一〇	六三七
	殘一一	六一四
	殘一二	六七九
	殘一三	六五三
	殘一四	七〇一
	殘一五	二八六
	殘一六	六五五

篇名	整理號	出土號
	殘一七	六九二
	殘一八	六九七
	殘一九	一二
	殘二〇	二九六
	殘二一	二九四
	殘二二	二八一
	殘二三	六七七
	殘二四	六一八
	殘二五	二四七
	殘二六	六三八
	殘二七	六二〇
	殘二八	六〇四
	殘二九	六三九
	殘三〇	六四八
	殘三一	六五四
	殘三二	六四四
	殘三三	六四七
	殘三四	二九九
	殘三五	六七〇
	殘三六	七〇三—一
	殘三七	五三三
	殘三八	六六二
	殘三九	六一六
	殘四〇	七〇二
	殘四一	六九九
	殘四二	三〇二
	殘四三	五一七
	殘四四	三〇一
	殘四五	六一七
	殘四六	二七八—一
	殘四七	二七八—二
	殘四八	六八二
曆日	一	七三
	二	五九
	三	六〇
	四	二一
	五	二〇
	六	一三
	七	一二
	八	九
	九	四
	一〇	五
	一一	四三
	一二	四七
	一三	四九　六九
	一四	七五　六三
	一五	七一　六六
	一六	五八
	一七	四二
	一八	二二
	一九	一
	二〇	二八
	二一	三一
	二二	八
	二三	三三
	二四	四四
	二五	四六
	二六	六八　四八
	二七	六二
	二八	六五
	二九	五七
	三〇	二六
	三一	一六
	三二	一四
	三三	三〇
	三四	一〇
	三五	七
	三六	四五
	三七	七八—一　三四
	三八	五三
	三九	五六
	四〇	四一
	四一	二五
	四二	一七
	四三	二九
	四四	一一
	四五	六
	四六	七八—二
	四七	五四
	四八	五五
	四九	二七
	五〇	三九
	五一	三七
	五二	三二
	五三	三六
	五四	五一
	五五	四〇
	五六	三八
	五七	五〇
	五八	七〇　五二
	五九	七七　六四
	六〇	一五　六七

說明　本表可與本書上卷《隨州孔家坡漢墓發掘報告》圖二四、圖二五參看。

裝　幀：張希廣
責任編輯：蔡　敏
責任印製：陳　傑

圖書在版編目（CIP）數據

隨州孔家坡漢墓簡牘/湖北省文物考古研究所，隨州市考古隊編著．—北京：文物出版社，2006.6
ISBN 7－5010－1319－5

Ⅰ．隨…　Ⅱ．①湖…②隨…　Ⅲ．簡（考古）－隨州市－漢代　Ⅳ．K877.5

中國版本圖書館 CIP 數據核字（2002）第 004340 號

隨州孔家坡漢墓簡牘

編　者　湖北省文物考古研究所
　　　　隨州市考古隊
出版發行　文物出版社
　　　　北京五四大街二十九號
　　　　http://www.wenwu.com
　　　　E-mail:web@wenwu.com
印　刷　北京美通印刷有限公司
經　銷　新華書店
二〇〇六年六月　第一版
二〇〇六年六月　第一次印刷
定價：三六〇圓

889×1194　1/8　印張：27
ISBN 7－5010－1319－5/K·569